SUSSURRO

Dados Internacionais de Catalogação na Publicação (CIP)
(Câmara Brasileira do Livro, SP, Brasil)

Batterson, Mark
　　Sussurro : como ouvir a voz de Deus / Mark Batterson ; [tradução Jurandy Bravo]. -- São Paulo : Editora Vida, 2019.

　　Título original: Whisper : how to hear the voice of God.
　　ISBN 978-85-383-0399-2
　　e-ISBN 978-65-5584-170-1

　　　　1. Crescimento espiritual 2. Deus - Amor 3. Deus (Cristianismo) 4. Espiritualidade - Cristianismo 5. Ouvir - Aspectos religiosos - Cristianismo 6. Vida cristã I. Título.

19-26946　　　　　　　　　　　　　　　　　　　　　　　　　　CDD-248.4

Índices para catálogo sistemático:
1. Poder de Deus : Vida cristã : Cristianismo 248.4
Maria Alice Ferreira - Bibliotecária - CRB-8/7964

SUSSURRO

Como ouvir
a voz de Deus

Mark Batterson

Autor best-seller *pelo* The New York Times

EDITORA VIDA
Rua Conde de Sarzedas, 246 — Liberdade
CEP 01512-070 — São Paulo, SP
Tel.: 0 xx 11 2618 7000
atendimento@editoravida.com.br
www.editoravida.com.br
@editora_vida /editoravida

Editor responsável: Gisele Romão da Cruz
Editor-assistente: Marcelo Martins
Tradução: Jurandy Bravo
Revisão de tradução: Sônia Freire Lula Almeida
Revisão de provas: Josemar de Souza Pinto
Projeto gráfico e diagramação: Luciana Di Iorio
Capa: Arte Peniel

SUSSURRO
© 2017, by Mark Batterson
Originalmente publicado nos EUA com o título
Whisper: How to Hear the Voice of God
Edição brasileira © 2019, Editora Vida
Publicação com permissão contratual da
THE CROUN PUBLISHING GROUP, uma divisão da Penguin
Randon House LLC (New York, NY, EUA)

Todos os direitos desta edição em língua portuguesa
reservados e protegidos por Editora Vida pela
Lei 9.610, de 19/02/1998.

É proibida a reprodução desta obra por quaisquer meios
(físicos, eletrônicos ou digitais), salvo em breves citações,
com indicação da fonte.

■

Exceto em caso de indicação em contrário,
todas as citações bíblicas foram extraídas de
Nova Versão Internacional (NVI)
© 1993, 2000, 2011 by International Bible Society, edição
publicada por Editora Vida. Todos os direitos reservados.

Todas as citações bíblicas e de terceiros foram adaptadas
segundo o Acordo Ortográfico da Língua Portuguesa,
assinado em 1990, em vigor desde janeiro de 2009.

■

As opiniões expressas nesta obra refletem o ponto de vista
de seus autores e não são necessariamente equivalentes às
da Editora Vida ou de sua equipe editorial.

Os nomes das pessoas citadas na obra foram alterados nos
casos em que poderia surgir alguma situação embaraçosa.

Todos os grifos são do autor, exceto indicação em contrário.

1. edição: set. 2019
1. reimp.: abr. 2023

Esta obra foi composta em *Adobe Garamond Pro*
e impressa por Corprint Gráfica sobre papel
Pólen Natural 70 g/m² para Editora Vida.

Dedicado a Paul McGarvey,
um mentor para o meu ministério.
Em agosto de 1984, você fez uma
oração que foi respondida por Deus
em 2 de julho de 2016.

Sumário

Prólogo: o efeito Tomatis 9

PARTE UM: O PODER DE UM SUSSURRO

1. A oração mais arrojada 15
2. A voz 33
3. O lugar do sussurro 57

PARTE DOIS: AS SETE LINGUAGENS DO AMOR

4. Linguagem de sinais 83
5. A chave das chaves — Escrituras 99
6. A voz da alegria — Desejos 119
7. A porta para a Bitínia — Portas 145
8. Sonhadores diurnos — Sonhos 175
9. Personagens ocultos — Pessoas 195
10. O paradoxo do arqueiro — Sugestões 221
11. *Joystick* — Dor 253

Epílogo: O teste do sussurro 277

Prólogo

O efeito Tomatis

"Fala, Senhor, pois o teu servo está ouvindo."
— 1Samuel 3.9 — 1 parte

Mais de meio século atrás, o dr. Alfred Tomatis foi confrontado com o caso mais curioso de seus cinquenta anos de carreira como otorrinolaringologista. Um famoso cantor lírico perdera misteriosamente a capacidade de atingir determinadas notas, embora estas estivessem dentro de sua extensão vocal. Procurara outros especialistas em ouvido, nariz e garganta, todos os quais achavam tratar-se de um problema vocal. O dr. Tomatis pensava diferente.

Usando um sonômetro, o dr. Tomatis descobriu que mesmo um cantor lírico mediano produz ondas sonoras de 140 decibéis à distância de um metro.[1] Isso equivale a um pouco mais que um jato militar decolando de um porta-aviões. E o som é ainda mais alto dentro do crânio. Essa descoberta levou a um diagnóstico: o cantor lírico ficara surdo pelo som da própria voz. O mutismo seletivo era causado pela surdez seletiva. Sem ouvir determinada

---

[1] Tomatis, Alfred A. **The Conscious Ear:** My Life of Transformation Through Listening. Barrytown, NY: Station Hill, 1991. p. 42.

nota, não se pode cantá-la. Nas palavras do dr. Tomatis, "A voz só consegue reproduzir o que o ouvido pode ouvir".[2]

A Academia Francesa de Medicina apelidou a descoberta de efeito Tomatis.

Imagino que, como eu, você tenha sua cota de problemas. E as técnicas de solução de problemas que você emprega talvez sejam tão pouco eficazes quanto as minhas. A razão disso pode se dever ao fato de tratarmos os sintomas ao mesmo tempo que ignoramos a raiz: um efeito Tomatis espiritual. Seria possível que problemas que consideramos relacionais, emocionais e espirituais sejam na verdade auditivos — ouvidos ensurdecidos para a voz de Deus? E é essa incapacidade de ouvir sua voz que nos impede de falar e de saber o curso a seguir.

Deixe-me fazer uma declaração ousada já no início deste livro: aprender a ouvir a voz de Deus é a solução para milhares de problemas! Também é a chave para descobrirmos o nosso destino e alcançar o nosso potencial.

Sua voz é amor.

Sua voz é poder.

Sua voz é cura.

Sua voz é sabedoria.

Sua voz é alegria.

Se você está levando uma vida fora do tom, talvez seja porque ficou surdo graças a um diálogo interior que não deixa Deus abrir a boca! Talvez você tenha dado ouvidos à voz da crítica por tanto tempo que não consegue acreditar em mais nada a seu próprio respeito. Ou talvez a voz condenatória do Inimigo conte mentiras acerca de quem você de fato é. Se não silenciar essas

---

[2] TOMATIS, Alfred A. In: CAMPBELL, Don. **O efeito Mozart:** explorando o poder da música para curar o corpo, fortalecer a mente e liberar a criatividade. Rio de Janeiro: Rocco, 2001.

vozes concorrentes, elas acabarão ensurdecendo-o. Você não será capaz de entoar hinos a Deus, pois não poderá ouvir-lhe a voz.
A voz de Deus é a mais alta na sua vida?
Eis a questão.
Se a resposta for não, eis o problema.
Vivemos em uma cultura em que todo mundo quer ser ouvido, mas que tem pouco a dizer. Por isso, ouvimos tão pouco, principalmente quando se refere a ouvir Deus. A melhor maneira de conseguir que as pessoas nos ouçam é ouvirmos Deus. Por quê? Porque teremos alguma coisa que valha a pena a dizer.
Em última análise, todos necessitamos encontrar a nossa voz. E por voz quero dizer a mensagem única que Deus deseja transmitir por meio da nossa vida. Mas descobrir essa voz começa por ouvir a voz de Deus.
Você se disporia a fazer uma oração audaciosa no começo deste livro? Trata-se de uma oração antiga. Capaz de mudar a trajetória da sua vida, como aconteceu no caso de um profeta chamado Samuel. Antes de proferi-la, permita-me uma advertência. Se não se dispuser a ouvir *tudo* que Deus tem a dizer, no fim você não ouvirá *nada* do que ele tem a dizer. Se quiser ouvir-lhe a voz consoladora, precisa ouvir sua voz condenatória. E em geral o que *menos* desejamos ouvir é o que *mais* precisamos. Mas confie em mim, você quer ouvir o que ele tem a dizer.
Pronto?
Eis a oração. Oito palavras que podem transformar a sua vida:

> Fala, Senhor, pois o teu servo está ouvindo.[3]

É mais fácil repetir a oração que cumprir a parte que nos cabe, sem dúvida. Mas, se você fala sério o que acaba de orar, a sua vida está prestes a mudar para melhor.

---

[3] Cf. 1Samuel 3.9.

O PODER DE UM SUSSURRO

A oração mais arrojada

[...] E depois do fogo veio um sussurro [...].
— 1Reis 19.12 (*Nova Tradução na Linguagem de Hoje*) — 1 parte

Na manhã de 27 de agosto de 1883, fazendeiros de Alice Springs, Austrália, ouviram o que soou como tiros.[1] O mesmo som misterioso foi relatado em 50 locais diferentes em um espaço abrangendo um treze avos do Globo. O que os australianos ouviram foi a erupção de um vulcão na remota ilha indonésia de Krakatoa, a 3.600 quilômetros de distância!

Essa erupção vulcânica, possivelmente o som mais alto já medido, foi tão impactante que as ondas sonoras de 310 decibéis circum-navegaram o Globo no mínimo quatro vezes. Ela gerou ondas gigantes de 900 metros de extensão, lançou rochas a 54 quilômetros e rachou o concreto de 30 centímetros de espessura a quase 500 quilômetros de distância![2]

---

[1] KOERTH-BAKER, Maggie. The Loudest Sound in the World Would Kill You on the Spot, **FiveThirtyEight**, July 7, 2016. Disponível em: <https://fivethirtyeight.com/features/the-loudest-sound-in-the-world-would-kill-you--on-the-spot/>. Acesso em: 5 jan. 2018, 17:11:57.

[2] Decibel Equivalent Table. Disponível em: <www.decibelcar.com/menugeneric/87.html>. Acesso em: 25 jan. 2018, 14:14:10.

Se você abrisse um buraco através do centro da Terra, no lado oposto ao de Krakatoa encontraria a Colômbia. Embora o som da erupção não fosse audível na Colômbia, houve um pico mensurável na pressão atmosférica por causa das ondas sonoras infrassônicas que tencionaram o ar. O som pode não ter sido *ouvido*, mas foi *sentido* por todo o mundo. De acordo com a jornalista científica e colunista do *New York Times* Maggie Koerth-Baker, "só porque não consigo ouvir um som não significa que ele não esteja lá".[3]

Em baixos níveis o som é imperceptível.

Em altos níveis é impossível ignorá-lo.

Se ultrapassa os 110 decibéis, sofremos uma mudança na pressão sanguínea. Com 141 decibéis sentimos náuseas. Com 145 decibéis a nossa visão embaça porque o globo ocular vibra. Com 195 decibéis os nossos tímpanos correm o risco de romper. E a morte por ondas sonoras pode acontecer aos 202 decibéis.[4]

O ato de ouvir consiste em detectar vibrações dos tímpanos causadas por ondas sonoras, cuja intensidade é medida em decibéis. Em um extremo do espectro sonoro está o cachalote, o animal mais barulhento da Terra. O estalo que ele produz para se ecolocalizar pode alcançar 200 decibéis. Ainda mais impressionante, pesquisadores acreditam que o canto das baleias pode se propagar por até 16 mil quilômetros debaixo da água![5] Depois do cachalote vêm

---

[3] KOERTH-BAKER, Maggie. The Loudest Sound in the World Would Kill You on the Spot. **FiveThirtyEight**, July 7, 2016. Disponível em: <https://fivethirtyeight.com/features/the-loudest-sound-in-the-world-would-kill-you-on-the-spot>. Acesso em: 5 jan. 2018, 17:11:57.

[4] Decibel Equivalent Table. Disponível em: <www.decibelcar.com/menugeneric/87.html>. Acesso em: 25 jan. 2018, 14:14:10.

[5] Humpback Whales, **Journey North**. Disponível em: <www.learner.org/jnorth/tm/hwhale/SingingHumpback.html>. Acesso em: 5 jan. 2018, 19:29:43.

os motores dos jatos (150 decibéis), as cornetas (129 decibéis), os trovões (120 decibéis) e as britadeiras (100 decibéis).[6]
O que há no extremo oposto do espectro sonoro?
Um sussurro, medindo apenas 15 decibéis.
Tecnicamente falando, o nosso limiar absoluto de audição é 0 decibéis. O que corresponde a uma onda sonora medindo 0,0000002 pascal, que faz o tímpano vibrar apenas 10^{-8} milímetros. Isso é menos que um bilionésimo da pressão ambiente no ar à nossa volta e menos que o diâmetro de um átomo de hidrogênio![7]

> Quando quer ser ouvido, Deus costuma falar em um sussurro.

Justaponha esses dados à seguinte informação:

> Um vento muito forte varreu o monte, partindo e esmigalhando as pedras diante do Eterno, mas o Eterno não estava no vento. Depois do vento, veio um terremoto, mas o Eterno não estava no terremoto. Depois do terremoto, veio o fogo, mas o Eterno não estava no fogo. Por fim, depois do fogo, uma brisa suave começou a soprar (1Reis 19.11,12, *A Mensagem*).

A *Nova Tradução na Linguagem de Hoje* chama de "sussurro calmo e suave".

A *Bíblia Viva*, de "som de vento suave".

---

[6] "Noise Sources and Their Effects". Disponível em: <www.chem.purdue.edu/chemsafety/Training/PPETrain/dblevels.htm>. Acesso em: 5 jan. 2018, 19:36:14.

[7] JONES, Dr. Pete R. What's the Quietest Sound a Human Can Hear? (A.k.a. Why Omega-3 Fatty Acids Might Not Cure Dyslexia), **University College London**, November 20, 2014, 1. Disponível em: <www.ucl.ac.uk/~smgxprj/public/askscience_v1_8.pdf>. Acesso em: 5 jan. 2018, 19:49:09.

A *Almeida Revista e Corrigida*, de "voz mansa e delicada".

Temos a tendência de desconsiderar por insignificantes os fenômenos naturais que precederam o sussurro porque Deus não estava neles, mas aposto que chamaram a atenção de Elias. Deus tem uma voz exterior e não teme usá-la. Mas, quando quer ser ouvido, quando o que tem a dizer é importante demais para que se perca, costuma falar em um sussurro pouco acima do limiar absoluto do ouvir.

A questão, claro, é *por quê*.

E *como*.

E *quando* e *onde*.

São as perguntas que investigaremos e procuraremos responder nas páginas seguintes.

O som do silêncio

O termo hebraico para "sussurro", *demamah*, pode ser traduzido por "silêncio", ou "tranquilidade", ou "calma".[8] Simon e Garfunkel não ficaram muito longe disso com o título de seu sucesso musical de 1964, *The Sound of Silence* [O som do silêncio]. A mesma palavra hebraica é usada para descrever o modo pelo qual Deus nos liberta da nossa aflição: "Reduziu a tempestade a uma brisa e serenou as ondas" (Salmos 107.29).

> O sussurro de Deus é suave, mas não existe nada mais poderoso.

E esse salmo prenuncia ocasiões em que Jesus interromperia uma tempestade com duas palavras: "[...] 'Aquiete-se! Acalme-se!' [...]" (Marcos 4.39).

---

[8] "1827. demamah", **Bible Hub**. Disponível em: <http://biblehub.com/hebrew/1827.htm>. Acesso em: 5 jan. 2018, 20:23:40.

Seu sussurro é suave, mas não existe nada mais poderoso.

O meu dicionário define *sussurro* como "falar muito suavemente usando a respiração em lugar das cordas vocais". O uso da respiração em vez de cordas vocais é importante. Não foi assim que Deus criou Adão? Ele soprou o pó e chamou-o Adão.

Adão um dia foi um sussurro.

Você também.

E tudo mais.

Podemos dizer que o uso típico do sussurro é para fins de sigilo. Nenhuma outra forma de comunicação é mais íntima. E parece ser o método preferido de Deus.[9] A questão, de novo, é *por quê*. Já chega de deixar você tentando adivinhar a resposta.

Quando alguém fala em um sussurro, você tem de chegar muito perto para ouvir. Na verdade, precisa pôr o ouvido perto dos lábios da pessoa. Inclinamo-nos na direção do sussurro, e é isso que Deus quer. O objetivo de ouvir a voz do Pai celestial não é só escutar-lhe a voz; é ter intimidade com ele. Por isso, ele fala em sussurro. Deseja estar tão próximo de nós quanto for divinamente possível! Ele nos ama, gosta de nós, ama-nos, um tantão assim.

Quando os nossos filhos eram novos, de vez em quando eu pregava uma peça neles. Falava sussurrando para que chegassem bem pertinho. Então os agarrava e abraçava. Deus prega a mesma peça em nós. Queremos ouvir o que ele tem a dizer, mas ele quer que saibamos quanto nos ama.

"A voz do Espírito é suave como a brisa do ocidente", disse Oswald Chambers. "Tão suave que, a menos que você esteja

---

[9] V. 1Reis 19.11-13.

vivendo em perfeita comunhão com Deus, jamais a ouvirá."[10] Você não se sente grato por um Deus gentil? O Todo-poderoso poderia intimidar você com sua voz exterior, mas ele o corteja com um sussurro. E seu sussurro é o próprio sopro de vida.

Chambers continua: "As visitações do Espírito acontecem das maneiras mais extraordinariamente gentis, e, se você não for sensível o suficiente para detectar-lhe a voz, a extinguirá, e sua vida espiritual pessoal ficará prejudicada. As visitações sempre acontecem na forma de uma voz mansa e delicada, tão baixa que ninguém, exceto os santos, a notam".[11]

Só um sussurro

Nas duas últimas décadas, tive o prazer e o privilégio de pastorear a National Community Church em Washington, DC, e não gostaria de estar em nenhum outro lugar fazendo fosse o que fosse com quem quer que fosse. Vivo um sonho, mas esse sonho no passado era um sussurro.

A gênese do sonho remonta a um pasto para vacas distante em Alexandria, Minnesota, onde ouvi a voz mansa e delicada de Deus. Acabara de concluir o meu primeiro ano na Universidade de Chicago, onde cursava PERL (política, economia, retórica e legislação). A faculdade de direito era o plano A, mas isso foi antes de eu fazer uma pergunta perigosa para Deus: *O que o Senhor quer que eu faça da minha vida?* No entanto, bem mais perigoso seria *não* fazer essa pergunta!

Olhando para trás, apelidei aquele verão entre o primeiro e o segundo anos de faculdade de o "verão da busca". Pela primeira

---

[10] CHAMBERS, Oswald. **My Utmost for His Highest**. Westwood, NJ: Barbour, 1963. August 13. [**Tudo para ele**. [S.l.]: Betânia, 1988.]
[11] Ibid.

vez na vida, falei sério em levantar de manhã cedo para orar. E não se tratava apenas de um ritual religioso. Eu estava desesperado para ouvir a voz de Deus, e talvez por isso tenha finalmente adotado essa prática.

No fim do verão, a nossa família passou as férias no lago Ida em Alexandria, Minnesota. Resolvi fazer uma longa caminhada de oração percorrendo algumas estradas de terra. Por algum motivo, caminhar me ajuda a falar. Consigo orar mais focado e distrair-me menos ao ouvir. Em determinado ponto, saí da estrada para um pasto. Ziguezagueando entre excrementos de vaca enquanto seguia o meu caminho, escutei o que descreveria como a voz inaudível, porém inconfundível, de Deus. Naquele momento e lugar, soube que Deus me chamava para o ministério em tempo integral. Eram menos palavras que um sentimento, uma sensação de chamado. E esse único sussurro me inspirou a desistir de uma bolsa de estudos integral na Universidade de Chicago e me transferir para o Central Bible College em Springfield, Missouri. Uma atitude que não fez o menor sentido em termos acadêmicos e foi criticada por não poucas pessoas na minha vida, mas é assim que o sussurro divino costuma funcionar.

> Nada tem o potencial de mudar a sua vida como o sussurro de Deus.

Quem dança é considerado louco por quem não ouve a música. O velho ditado com certeza se aplica no caso de quem caminha seguindo o ritmo de Deus. Ao aceitar as sugestões do Espírito Santo, você fará coisas que levarão as pessoas a o considerar louco. Que seja. Obedeça ao sussurro e veja Deus agir.

Mais de duas décadas de ministério se passaram desde aquela caminhada em oração através de um pasto. Nos últimos vinte anos, a National Community cresceu e se tornou uma igreja com oito endereços diferentes, mas houve tempo em que cada um deles não passava de um sussurro. Escrevi 15 livros nos últimos dez anos, mas cada um deles foi primeiro um sussurro. Todo sermão que prego e todo livro que escrevo são ecos daquele sussurro no meio de um pasto, no meio de lugar nenhum.

Nada tem o potencial de mudar a sua vida como o sussurro de Deus. Nada determinará o seu destino mais do que a capacidade que você tem de ouvir a voz mansa e delicada dele.

É assim que se discerne a boa, perfeita e agradável vontade de Deus.

Assim você enxerga e se apodera da agenda divina.

Assim nascem os sonhos do tamanho de Deus.

Assim os milagres acontecem.

A oração mais arrojada

Há dias e dias, e há os dias que mudam todos os outros dali em diante. No meu caso, 2 de julho de 2016 é um desses dias que mudam tudo. Depois do dia em que me casei, dos dias em que os meus filhos nasceram e do dia em que quase morri, não há outro mais sagrado. Na verdade, sou capaz de dizer a quantidade exata de dias que se passaram desde então.

Eu estava dando início a uma série de sermões intitulada "As montanhas se movem" e desafiei nossa igreja a fazer a oração mais arrojada de que era capaz. Por oração mais arrojada refiro-me àquela em relação à qual você mal consegue acreditar em Deus, de tão impossível que parece. Costuma ser a oração que você fez cem vezes e não obteve resposta, e ainda assim você a repete mais uma vez de qualquer forma. Para mim, a oração mais arrojada foi para que Deus curasse a minha asma. E foi arrojada porque asma era tudo que eu conhecia na vida.

A minha reminiscência de infância mais antiga é de um ataque de asma no meio da noite, seguido de uma corrida frenética ao pronto-socorro para tomar uma injeção de epinefrina. A prática se repetiu mais vezes do que sou capaz de me recordar. Não se passaram quarenta dias em quarenta anos que não precisei inalar da minha bombinha de salbutamol, e nunca ia a lugar nenhum sem ela. Jamais. Então fiz minha oração mais arrojada e não usei mais o meu inalador nem uma única vez daquele dia em diante. Por isso conto os dias literalmente, pois cada um é mais miraculoso que o anterior.

Ao longo de quarenta anos, devo ter orado centenas de vezes para que Deus curasse minha asma. Mas por motivos só conhecidos por ele, essas orações ficaram sem resposta.

Por que continuei orando?

A resposta abreviada é: por causa de um sussurro.

Pouco antes do meu primeiro ano de ensino médio, fui hospitalizado em decorrência de um grave ataque de asma que me mandou para a unidade de terapia intensiva. Esta foi uma da dezena de hospitalizações desse tipo durante os meus anos de início de juventude. Uma semana depois, quando recebi alta do Edward's Hospital, o pastor Paul McGarvey e uma equipe de oração da Calvary Church em Naperville, Illinois, foram à nossa casa, impuseram as mãos sobre mim e oraram para que Deus me curasse da asma.

Deus respondeu a essa oração por cura, mas não da maneira que eu esperava.

Na manhã seguinte, quando acordei, ainda tinha asma, mas todas as verrugas dos meus pés haviam desaparecido misteriosamente. É sério! A princípio me perguntei se Deus operara um milagre. Talvez houvesse alguma interferência no sinal entre terra e céu. Não pude deixar de imaginar se alguém em algum outro lugar do mundo estava respirando muitíssimo bem, só que ainda com verrugas nos pés. Foi um pouco confuso, mas foi quando ouvi a voz mansa e delicada. Não uma voz audível; era Espírito com espírito. Mas ela soou alta e clara: *Mark, só queria que você soubesse que eu posso!*

Todas estas décadas depois, essa história ainda provoca um arrepio na minha espinha. Eu tinha 14 anos e era a primeira vez que ouvia o sussurro de Deus. Fiquei desapontado por ele não responder à minha oração como eu queria? Claro que sim. Mas aquelas duas palavras repercutiram por três décadas: *Eu posso*. E ele não só pode, como "é capaz de fazer infinitamente mais do que tudo o que pedimos ou pensamos, de acordo com o seu poder que atua em nós" (Efésios 3.20).

> A gênese de cada bênção, de cada grande avanço, é o sopro de Deus.

Vou ligar os pontos para você.

Sem aquele sussurro, não sei muito bem se teria fé para fazer uma oração tão arrojada. E se não a tivesse feito, como Deus haveria de responder? Afinal, ele não responde a 100% das orações que não fazemos! Já percebeu aonde estou querendo chegar, certo? O meu milagre antes havia sido um sussurro. E isso vale para todo milagre. Quando examino a minha vida, percebo que a gênese de cada bênção, de cada grande avanço, é o sopro de Deus. Tudo começou com nada mais que uma voz mansa e delicada.

O Café Ebenezers em Capitol Hill, de propriedade da nossa igreja e por ela operado, é um exemplo perfeito. Quando as pessoas passam pelo Ebenezers, enxergam uma cafeteria, mas, quando passo por ela, ouço um sussurro. Ele não era mais que isso duas décadas atrás. Na verdade, era um prédio coberto de grafite, com blocos de concreto nos batentes. Então, um dia, passei por ele, e uma ideia inspirada pelo Espírito se acendeu no meio das minhas sinapses: *Esse ponto de venda de* crack *daria um excelente café.*

A ideia surgiu do nada, o que às vezes indica algo sobrenatural. Chamo-a de ideia divina, e prefiro ter uma a mil boas ideias. As boas ideias são ótimas, mas as divinas mudam o curso da história.

Aquela ideia divina se converteu em uma oração arrojada, que se transformou em um café eleito o número 1 em Washington, DC, mais de uma vez. Desde que abrimos as portas uma década atrás, doamos mais de 1 milhão de dólares de seu lucro líquido a causas do Reino. Mas cada dose que preparamos e cada dólar que doamos um dia foram um sussurro.

A usina de ideias da alma

Ao longo dos últimos mais de trinta anos, um ecologista acústico chamado Gordon Hempton compilou o que ele chama de "Lista dos últimos e excepcionais lugares silenciosos". Consiste em locais com pelo menos quinze minutos de silêncio ininterrupto durante o dia. Na última contagem, havia apenas 12 lugares silenciosos em todo os Estados Unidos![12] E nos perguntamos por

---

[12] HEMPTON, Gordon. The Last Quiet Places: Silence and the Presence of Everything, entrevista de TIPPETT, Krista, **On Being**, December 29, 2016. Disponível em: <https://onbeing.org/programs/gordon-hempton-silence-and-the-presence-of-everything/>. Acesso em: 18 maio 2019, 16:41:23.

que a alma sofre. Como Hempton comentou, "O silêncio é uma usina de ideias da alma".[13]

Em poucas palavras, Deus sempre fala mais alto quando nos mantemos mais quietos.

O filósofo francês do século XVII Blaise Pascal certa vez observou: "A única causa exclusiva da infelicidade do homem é ele não saber ficar em silêncio em seu quarto".[14]

Uma declaração e tanto, mas não um exagero. Se os nossos problemas são de audição — o efeito Tomatis espiritual —, então a solução para eles é uma receita tão antiga quanto os salmos, e tão crítica para a vitalidade do nosso espírito que vale a pena meditar em uma palavra ou frase por vez:

> Aquietai.
> Aquietai-vos.
> Aquietai-vos e sabei.
> Aquietai-vos e sabei que eu sou Deus [...] (cf. Salmos 46.10, *Almeida Revista e Atualizada*)

Você já experimentou silenciar uma sala barulhenta? Tentar gritar mais alto que a multidão em geral não funciona, certo? É muito mais eficaz calar todo mundo com um *shhh*. Esse é o método que Deus emprega. Seu sussurro nos cala, acalma, aquieta.

Por definição, ruído branco é um som que contém todas as frequências que o ouvido humano consegue captar.[15] E porque ele contém todas as frequências, é muito difícil ouvir qualquer uma delas, em especial a voz mansa e delicada de Deus. Nesse caso, o barulho crônico pode ser o maior empecilho para o nosso crescimento espiritual. E não é apenas a espiritualidade que sofre.

---

[13] Ibid.
[14] PASCAL, Blaise. **Pensamentos**. São Paulo: Martins Fontes, 2001.
[15] Audio Noise, **WhatIs.com**. Disponível em: <http://whatis.techtarget.com/definition/audio-noise>. Acesso em: 8 jan. 2018, 18:03:01.

Examinando estudantes na faixa etária do ensino elementar de uma escola em Manhattan, a psicóloga Arlene Bronzaft descobriu que crianças alocadas em salas de aula situadas no lado da escola que ficava de frente para uma via ferroviária elevada estavam onze meses atrás de seus equivalentes que ocupavam o lado mais silencioso do prédio. Depois que os responsáveis pelo transporte público na cidade de Nova York instalaram equipamentos para redução de ruído nos trilhos, um estudo subsequente não encontrou diferença entre os grupos.[16]

> Silêncio é tudo, menos espera passiva. É audição proativa.

Quando a vida se torna ruidosa, com o barulho tomando conta de cada frequência, perdemos o senso de ser. Corremos o risco de nos convertermos em realizações humanas, em vez de seres humanos. E, quando a nossa agenda está lotada de afazeres, perdemos o senso de equilíbrio, que é uma função do ouvido interno.

Posso me colocar em maus lençóis?

A sua vida é barulhenta demais.

A sua agenda é muito cheia.

Eis a maneira e a razão por que, e o momento em que, nos esquecemos de que Deus é Deus. E é preciso bem pouco para nos distrair. "Negligencio Deus e seus anjos com o barulho de uma mosca", disse o poeta inglês John Donne.[17] A solução? Quietude. Ou, mais especificamente, a divina voz mansa e delicada.

Silêncio é tudo, menos espera passiva. É audição proativa. O famoso escritor e professor Henri Nouwen acreditava que o

---

[16] ACKERMAN, Diane. **A Natural History of the Senses**. New York: Vintage Books, 1990. p. 187.

[17] DONNE, John. From a Sermon Preached 12 December 1626. In: CAREY, John (Ed.). The Major Works. New York: Oxford University Press, 1990. p. 373.

silêncio é um ato de guerra que compete com as vozes antagônicas no nosso interior. Essa guerra não se vence fácil, pois a batalha é diária. No entanto, a cada dia a voz de Deus fica um pouco mais alta na nossa vida, até ele ser tudo que conseguimos ouvir. "Toda vez que ouvir com grande atenção a voz que o chama de amado", disse Nouwen, "você descobrirá em seu interior um desejo de ouvir essa voz mais tempo e com maior profundidade".[18]

Cantos de livramento

Ao longo da última década, gravei uma dúzia de audiolivros com um engenheiro de som brilhante chamado Brad Smiley. Na nossa última sessão de gravação, Brad me contou sobre procedimentos de operação padronizados para a mixagem de som nas indústrias cinematográfica e fonográfica. Antes de entrar em estúdio, eles deixam os ouvidos relaxarem e se recalibrarem por meio do silêncio absoluto. Só depois disso estão prontos para ouvir, ouvir de verdade. Os ecologistas acústicos chamam esse processo de limpeza do ouvido.

> Se você quer ouvir o coração de Deus, a chave é o silêncio.

O cômodo mais silencioso do mundo é a câmara anecoica dos laboratórios Orfield em Minneapolis. Paredes de concreto de 30 centímetros de espessura e uma espécie de cunha acústica moldada em fibra de vidro com 91 centímetros de espessura absorvem 99,99% do som. Os ruídos de fundo medem -9,4 decibéis.[19] Só o que

---

[18] NOUWEN, Henri J. M. **Life of the Beloved:** Spiritual Living in a Secular World. New York: Crossroad, 1992. p. 37.
[19] MORTON, Ella. How Long Could You Endure the World's Quietest Place?, **Slate**, May 5, 2014. Disponível em: <www.slate.com/blogs/

se ouve em uma câmara anecoica é o som dos próprios batimentos cardíacos, da circulação sanguínea e dos pulmões respirando. Esse é o som do silêncio e nos lembra de que é em Deus que "vivemos, nos movemos e existimos" (Atos 17.28).

Se você quer ouvir o coração de Deus, a chave é o silêncio.

Se quer que o Espírito de Deus o encha, aquiete-se.

Os salmistas não tinham uma câmara anecoica em que se refugiarem, de modo que se refugiavam em Deus. Referiam-se a ele como seu refúgio, sua fortaleza e seu auxílio sempre presente em tempos de necessidade. Falavam do "abrigo do Altíssimo" e da "sombra do Todo-poderoso".[20] Mas a minha descrição favorita talvez seja "esconderijo".

> Tu és o meu abrigo [esconderijo];
> tu me preservarás das angústias e me cercarás de cânticos de livramento. (Salmos 32.7)

Sabia que Deus entoa cantos de livramento ao seu redor o tempo todo? Você não consegue ouvi-los porque estão fora do alcance da sua audição, mas há um escudo sonoro que o rodeia. Esses cantos de livramento são poderosos o suficiente para quebrar qualquer escravidão e solucionar qualquer problema. São a razão de nenhuma arma forjada contra você prevalecer.[21]

Lembre-se, a voz só é capaz de reproduzir o que o ouvido consegue ouvir. Não sei que problema você precisa resolver, ou que questão necessita solucionar, mas a minha oração é que aprenda

---

atlas_obscura/2014/05/05/orfield_laboratories_in_minneapolis_is_the_world_s_quietest_place.html>. Acesso em: 8 jan. 2018, 19:09:09. Ver também: The Quietest Place on Earth. Disponível em: <www.orfieldlabs.com/pdfs/chamber.pdf>. Acesso em: 8 jan. 2018, 19:31:42.
[20] V. Salmos 91.2; 46.1; 91.1.
[21] V. Isaías 54.17.

a discernir a voz de Deus. Quando isso acontece, seus cantos de livramento podem o podem libertar!

Pare de se esconder *de* Deus.

Esconda-se *em* Deus.

Uma pausa de colcheia

Uma das composições clássicas mais tocadas é a *Sinfonia nº 5 em Dó menor*, de Beethoven. Pode-se reconhecê-la de imediato dada a abertura icônica, uma frase de quatro notas que está entre as mais famosas da música ocidental. Mas você sabia que ela na verdade começa com o silêncio? Beethoven inseriu uma pausa de colcheia antes da primeira nota.[22]

A *Quinta* de Beethoven nos é tão familiar que fica difícil reproduzir todo o efeito que ela causou ao debutar no Theater an der Wien [Teatro de Viena] em 22 de dezembro de 1808. E, embora seja difícil discernir a intenção original de Beethoven, a pausa de colcheia inicial servia de amortecedor sonoro. No início dos concertos, há o barulho ambiente: conversas em meio ao público, alguns retardatários à procura do assento, o farfalhar dos programas. Um pouco de silêncio no início da execução da obra serve como uma limpeza do ouvido, mesmo que seja apenas uma pausa de colcheia. O silêncio abria a sinfonia de Beethoven, e o mesmo vale para a nossa vida.

Precisamos de mais pausas de colcheia, não? Principalmente se desejamos que a nossa vida seja uma sinfonia da graça de Deus. Eu recomendaria uma pausa de colcheia no início e no fim do dia — alguns instantes para reordenar os pensamentos, contar as bênçãos e fazer orações. Também necessitamos de um dia de

---

[22] GUERRIERI, Matthew. **The First Four Notes:** Beethoven's Fifth and the Human Imagination. New York: Vintage, 2012. p. 5.

descanso por semana. O descanso é tão importante que o sábado é um dos Dez Mandamentos de Deus. E, se você puder se permitir esse tempo, eu recomendaria um retiro de dois dias de silêncio por ano. Na minha opinião, você não pode deixar de se permitir isso. Certifique-se de contar a alguém para onde está indo e por quanto tempo se ausentará, mas interrompa toda comunicação por dois dias. Isole-se com Deus e sua Palavra. E, apesar de a oração ser uma parte importante do retiro silencioso, ouça mais do que fale.

> É o silêncio que nos ajuda a ouvir a voz de Deus e entoar seu canto.

Lembra-se daquelas vozes que nos ensurdecem? É difícil desligá-las e apagá-las, ainda mais as vozes na nossa cabeça. Mas a recompensa é exponencial: "Melhor é um dia nos [...] átrios [do Senhor] do que mil noutro lugar" (Salmos 84.10). Se quisermos produzir mais fazendo menos, precisamos entrar na presença de Deus. É o uso mil vezes mais eficiente do nosso tempo. E a quietude é a chave. É o silêncio que nos ajuda a ouvir a voz de Deus e entoar seu canto.

O silêncio é a diferença entre visão e percepção.

O silêncio é a diferença entre felicidade e alegria.

O silêncio é a diferença entre medo e fé.

De acordo com a ciência da interrupção, somos interrompidos a cada três minutos.[23] O fato de termos um campo da ciência dedicado à interrupção prova como o problema se agravou. Para encontrar paz e tranquilidade, necessitamos estabelecer

---

[23] GREGUSSON, Halvor. The Science Behind Task Interruption and Time Management, **Yast Blog**. Disponível em: <www.yast.com/time_management/science-task-interruption-time-management/>. Acesso em: 8 jan. 2018, 23:56:12.

alguns limites. Por exemplo, nenhum *e-mail* antes das 9 da manhã ou depois das 9 da noite. Enquanto estabelecemos limites, quem sabe tenhamos vontade de excluir alguns aplicativos, cancelar algumas assinaturas e dar um tempo nas mídias sociais de vez em quando.

Alguns anos atrás, escrevi um livro intitulado *A força da oração perseverante*.[24] Ele trata do poder da oração, e os milhares de testemunhos que ouvi desde que o livro foi lançado são evidências desse fato. A oração é a diferença entre o melhor que podemos fazer e o melhor que Deus pode fazer. Mas tem uma coisa ainda mais importante e poderosa do que *falar* com Deus. O que é? *Ouvir* Deus. Isso converte um monólogo em diálogo, exatamente o que ele deseja.

Tenho um princípio básico bastante simples quando me encontro com alguém: ouvir mais do que falar. Quanto mais desejo ouvir o que a pessoa tem a dizer, mais silencioso fico. Esse é um bom princípio básico em relação a Deus.

Recline-se em direção ao sussurro dele.

Depois faça a oração mais arrojada!

---

[24] BATTERSON, Mark. **A força da oração perseverante**. Rio de Janeiro: Thomas Nelson Brasil, 2013.

2

A VOZ

> Disse Deus: "Haja luz" [...].
> — Gênesis 1.3 — 1 parte

Você pode não sentir movimento algum agora, mas essa é uma ilusão de proporções milagrosas. A realidade? Você está em um planeta que gira ao redor do próprio eixo a uma velocidade aproximada de 1.600 km/h. E isso não o deixa nem um pouquinho com vertigem! Mais: o planeta Terra atravessa o espaço a aproximadamente 107.800 km/h. Portanto, mesmo nos dias em que parece não ter conseguido fazer muita coisa, você percorreu mais de 2,5 milhões de quilômetros no espaço!

Agora uma pergunta: quando foi a última vez que você agradeceu a Deus por nos manter em órbita? Suponho que a resposta seja *nunca*. Por quê? Porque Deus é tão bom no que faz que nem damos atenção a esse tipo de coisa. Nem uma só vez ajoelhei e orei: *Senhor, eu não tinha certeza de que completaríamos a rotação de hoje, mas o Senhor conseguiu de novo.*

Tem gente, e talvez você esteja nesse meio, que diria que nunca viveu um milagre. Com todo o respeito, tomo a liberdade de discordar. Vivenciamos um milagre de proporções astronômicas todos os dias. A ironia é que confiamos em Deus de antemão no que diz respeito aos grandes milagres, como manter-nos em órbita. Agora o truque é confiar nele em relação aos pequenos milagres: todo o resto.

A fim de apreciar em plenitude o poder da voz de Deus, precisamos voltar ao início. Ele chama o Universo à existência com — conte comigo — duas palavras:

> Disse Deus: "Haja luz" [...] (Gênesis 1.3).

> Uma paráfrase:

> Haja radiação eletromagnética com comprimentos de ondas variáveis viajando a 299.701 km/s. Haja ondas de rádio, micro-ondas e raios X. Haja fotossíntese e fibras óticas. Haja a cirurgia Lasik, a comunicação via satélite e o bronzeamento artificial. Oh, e haja arco-íris depois das tempestades.

"Haja luz."
São as primeiras palavras de Deus de que temos registro.
Este é o primeiro milagre de Deus registrado.

A luz é a fonte da *visão*; sem ela, não enxergamos nada. É a chave para a *tecnologia*; é como somos capazes de falar com alguém do outro lado do mundo com menos de um segundo de atraso, pois a luz consegue circular o Globo sete vezes e meia em um segundo.[1] Ela é o primeiro elo na *cadeia alimentar*; sem fotossíntese, não há comida. É a base da *saúde*; a ausência de luz causa tudo, desde a deficiência de vitamina D até a depressão. A luz é a origem da *energia*; na equação $E = MC^2$ de Einstein, a energia (E) é definida como massa (M) vezes a velocidade da luz (C) ao quadrado. A velocidade da luz é a constante. E a luz é o

---

[1] REDD, Nola Taylor. How Fast Does Light Travel? The Speed of Light, **Space.com**, May 22, 2012. Disponível em: <www.space.com/15830-light-speed.html>. Acesso em: 9 jan. 2018, 11:28:55.

padrão de medida do *espaço-tempo*; 1 metro é definido como a distância percorrida pela luz no vácuo durante um intervalo de tempo de 1/299.792.458 de segundo.

A luz é o alfa e o ômega de tudo, e isso inclui você.[2] Sabia que recentemente os embriologistas capturaram o momento da concepção via microscopia de fluorescência? Descobriram que no exato momento em que o esperma penetra o óvulo, o óvulo libera bilhões de átomos de zinco emissores de luz.[3] Voam faíscas, literalmente! O milagre da concepção é um microcosmo que espelha as duas primeiras palavras ditas por Deus.

Duas palavras

Em 1º de janeiro de 1925, Edwin Hubble fez uma apresentação para a Sociedade Astronômica Americana que provou ser uma mudança de paradigma cosmológico.[4] Na época, a opinião predominante era que a galáxia Via Láctea poderia ser a soma total do cosmo. Hubble, um pioneiro em astronomia extragaláctica, argumentava algo diferente. Sua prova principal era o grau de desvio para o vermelho observado na luz proveniente de estrelas distantes, que aumentava na proporção da distância entre elas e a Terra. De uma só vez, o tamanho do Universo conhecido foi aumentado em 100 mil vezes. Ainda mais importante era

---

[2] V. 1João 1.5.
[3] DUNCAN, Francesca E. et al. The Zinc Spark Is an Inorganic Signature of Human Egg Activation, Scientific Reports, volume 6, April 26, 2016. Disponível em: <www.nature.com/articles/srep24737>. Acesso em: 9 jan. 2018, 12:22:21.
[4] POWELL, Corey S. January 1, 1925: The Day We Discovered the Universe, **Discover**, January 2, 2017. Disponível em: <http://blogs.discovermagazine.com/outthere/2017/01/02/the-day-we-discovered-the-universe/#.WNpS1BCwRTE>. Acesso em: 9 jan. 2018, 12:27:14.

um fato simples: o Universo continua se expandindo. Quase um século depois, o telescópio Hubble espionou aproximadamente 200 bilhões de galáxias, e pesquisas recentes indicam que essa estimativa pode ser no mínimo dez vezes mais alta.[5]

Aqui está a importância dessa descoberta: as duas palavras ditas por Deus no início ainda estão criando galáxias nos confins do Universo. Duas palavras! E o resultado é um Universo em constante expansão com no mínimo 93 bilhões de anos-luz de diâmetro.[6]

Se Deus pode fazer isso com duas palavras, com o que estamos preocupados?

A primeiríssima revelação de Deus foi como Criador. E, porque sua criação inspira tanto fascínio, é fácil não dar atenção a *como* Deus fez o que fez. Para mim, no entanto, o mecanismo da criação é tão incrível quanto a criação em si.

Como Deus criou? Com a voz! O Universo é seu modo de dizer: "Vejam o que sou capaz de fazer com duas palavras!". A voz que chamou o Universo à existência é a mesma que dividiu o mar Vermelho e deteve o Sol. Sua voz é capaz de curar a mão ressequida ou ressequir uma figueira sem frutos. Sua voz pode transformar água em vinho, instalar conexões sinápticas entre o nervo ótico

> Não há nada que a voz de Deus não possa dizer ou fazer.

---

[5] Hubble Reveals Observable Universe Contains 10 Times More Galaxies Than Previously Thought, Nasa, October 13, 2016. Disponível em: <www.nasa.gov/feature/goddard/2016/hubble-reveals-observable-universe-contains-10-times-more-galaxies-than-previously-thought>. Acesso em: 9 jan. 2018, 12:39:28.

[6] Observable Universe, **Wikipedia**. Disponível em: <https://en.wikipedia.org/wiki/Observable_universe>. Acesso em: 11 jan. 2018, 15:54:04.

e o córtex visual no cérebro de um homem cego e ressuscitar um homem morto depois de quatro dias.[7]

Não há nada que a voz de Deus não possa dizer ou fazer. E francamente ele pode fazê-lo como bem entender! Pode falar por meio de arbustos incandescentes, da jumenta de Balaão ou da estrela de Belém. Sua voz é capaz de escrever nas paredes dos palácios ou fechar a boca de leões. De extinguir as chamas de uma fornalha ardente ou fazer cessar uma tempestade no mar da Galileia.[8]

A voz de Deus é todo-poderosa, mas isso só conta metade da história. Sua voz também é todo-amorosa. Nas páginas que seguem, examinaremos sete linguagens de Deus. A primeira linguagem: as Escrituras, nossa pedra de Roseta. As outras seis que examinaremos são secundárias: desejos, portas, sonhos, pessoas, sugestões e dor. Mas todas são linguagens do amor. Por quê? Porque "Deus é amor" (1João 4.16).

Doçura

Um motivo pelo qual nos fazemos de surdos para com Deus é temermos o que ele dirá, mas isso por não sabermos qual é sua disposição para conosco. Você quer ouvir o que ele tem a dizer. Confie em mim. Cântico dos cânticos diz: "Sua boca é a própria doçura [...]" (5.16)

Segundo a tradição rabínica, quando Deus falou aos israelitas no monte Sinai, eles ficaram tão apavorados que sentiram como

---

[7] V. Êxodo 14; Josué 10; Mateus 12.9-13; 21.18,19; João 2.1-11; Lucas 18.35-43; João 11.38-44.
[8] V. Êxodo 3; Números 22.21-31; Mateus 2.1-11; Daniel 5; Daniel 6; Daniel 3; Marcos 4.35-41.

se a própria alma os abandonasse.⁹ É o que acontece quando Deus usa sua voz exterior! Mas o que Deus fez? Adocicou as palavras, abrandando-as até que a alma do povo retornasse para cada um deles.¹⁰ Talvez isso não passe de uma lenda rabínica, mas condiz com o caráter de Deus. Quando ele quer que nos arrependamos, o que faz? Não nos ameaça ou importuna ou grita conosco. Ele nos mostra bondade.¹¹ E se isso não funcionar? Ele recorre a mais bondade.

> Todos temos um ponto fraco, e costuma ser por aí que Deus fala conosco.

Zac Jury frequentou a National Community Church durante dezoito meses, tempo em que também trabalhou no quartel-general do FBI. Zac é o agente típico. Um sujeito durão, inteligente. Mas todos temos um ponto fraco, e costuma ser por aí que Deus fala conosco.

— Nunca entendi ou aceitei de verdade que Deus me ama pelo que sou, do jeito que sou — disse Zac. — Mas isso mudou no dia em que assisti de pé ao fim de um culto da NCC no Teatro Lincoln — fileira J, poltrona 111. Foi onde ouvi aquela voz mansa repetidas vezes: *Eu o amo, eu o amo, eu o amo, eu o amo, eu o amo, eu o amo*. Ele deve ter sussurrado essas palavras para mim pelo menos uma centena de vezes. Com lágrimas escorrendo pelo rosto, experimentei seu amor da maneira mais visceral que

---

⁹ A tradição rabínica não se compara às Escrituras, mas eu a considero um belo pano de fundo e um modo útil de obter melhor compreensão da Bíblia.
¹⁰ Bialik, Hayim Nahman; Ravnitzky, Yehoshua Hana (Eds.). **The Book of Legends**: Legends from the Talmud and Midrash. Trad. William G. Braude. New York: Schocken Books, 1992. p. 80.
¹¹ V. Romanos 2.4.

conheço até hoje. O Teatro Lincoln é um lugar especial demais para mim. Será para sempre o lugar onde ouvi, ouvi de verdade, e cri que o Senhor me ama.

Creio que, se prestar atenção, você ouvirá a mesma coisa.

Sei que muita gente tem dificuldade para crer que Deus é amoroso, com frequência porque alguém o representou de maneira deturpada. Mas uma coisa prometo: o Pai celestial está dizendo a nosso respeito a mesma coisa que ele falou sobre Jesus em seu batismo: " '[...] Este é o meu Filho amado, de quem me agrado' " (Mateus 3.17). Você é seu filho amado, a quem ele devota especial afeição. Só precisa deixar que ele o ame.

Não é essa a voz que você deseja ouvir?

No começo do nosso namoro, Lora e eu frequentamos faculdades diferentes por um semestre. Como já mencionei, acabei me transferindo da Universidade de Chicago para o Central Bible College. Não só por sentir um chamado para o ministério, mas também porque os telefonemas acabariam custando mais que a mensalidade. Era mais barato me transferir.

Por que passávamos horas no telefone nesses dias de chamadas de longa distância? Porque, quando se ama alguém, ama-se o som de sua voz. Você anseia por ouvi-la. No relacionamento com Deus, não é diferente.

E Deus cantou

O famoso compositor e regente Leonard Bernstein acreditava que "a melhor tradução do hebraico em Gênesis 1 não é 'disse Deus', mas 'cantou Deus' ".[12] Embora talvez haja um preconceito musical implícito aqui, gosto bastante dessa interpretação.

---

[12] BERNSTEIN, Leonard, in: SWEET, Leonard. **Summoned to Lead**. Grand Rapids: Zondervan, 2004. p. 64-65.

A criação é a sinfonia divina, e a ciência oferece provas em profusão para corroborar a ideia.

Você sabia que o elétron que orbita o átomo do carbono produz a mesma escala harmônica do canto gregoriano?[13] Faz a gente ter vontade de sair cantarolando um *hummm*.

De acordo com a ciência da bioacústica, milhões de cânticos estão sendo entoados o tempo todo. Claro, eles são infrassônicos e ultrassônicos na grande maioria. "Se tivéssemos melhor audição", disse o médico e pesquisador Lewis Thomas, "e fôssemos capazes de discernir o canto das aves marinhas, o timbale ritmado das colônias de moluscos ou mesmo a harmonia distante dos maruins pairando sobre os prados ao sol, a combinação dos sons talvez nos tirasse os pés do chão".[14]

Compare suas palavras com isto:

> Então ouvi todas as criaturas que há no céu, na terra, debaixo da terra e no mar, [...] que cantavam:
> "Ao que está sentado no trono e ao Cordeiro
> pertencem o louvor, a honra, a glória
> e o poder para todo o sempre!". (Apocalipse 5.13, *Nova Tradução na Linguagem de Hoje*).

Não se trata de uma profecia para o tempo futuro; essa é a realidade no tempo presente.

---

[13] MAY, Cornelius W. **Listening for God:** Hearing the Sacred in the Silent. Macedonia, OH: Xulon Press, 2011. p. 59.

[14] THOMAS, Lewis, in: BERGER, Marilyn, Lewis Thomas, Whose Essays Clarified the Mysteries of Biology, Is Dead at 80, **New York Times**, December 4, 1993. Disponível em: <www.nytimes.com/1993/12/04/obituaries/lewis-thomas-whose-essays-clarified-the-mysteries-of-biology-is-dead-at-80.html?pagewanted=all&mcubz=2>. Acesso em: 12 jan. 2018, 10:12:18.

Quando cruzarmos o contínuo espaço-tempo e entrarmos na dimensão que a Bíblia chama de céu, receberemos um corpo glorificado. Não vejo a hora de ganhar algumas partes novas do meu corpo, incluindo abdominais dignos de louvor! Mas o que mais me empolga é a ideia dos sentidos glorificados. Enfim ouviremos as oitavas dos anjos, e o coro que entoam nos tirará os pés do chão. Até lá, contentamo-nos com Bach, ou Bono, ou Bieber.

Uma observação. Lembra-se do dr. Alfred Tomatis? Ele disse: "O ouvido dá uma resposta fisiológica ruim aos sons puros". Por outro lado, "ele ama a complexidade". Que tipo de complexidade? "Para que o ouvido tenha uma reação tangível, três frequências, no mínimo, devem entrar em ação simultaneamente".[15]

> Se o alcance da nossa audição fosse um pouco melhor, ouviríamos a voz de Deus em cada gota de água.

Três frequências? Que coincidência, ou, talvez, providência!

Criação é harmonia tripartite: Pai, Filho e Espírito Santo. E, como a Trindade cantou à existência de cada átomo, cada um deles devolve para Deus sua nota singular por reverberação. Criação é chamado e resposta. Quando as Escrituras falam de montanhas cantando e árvores batendo palmas, não está sendo apenas metafórica.[16] Se o alcance da nossa audição fosse um pouco melhor, ouviríamos a voz de Deus em cada gota de água, cada folha de relva, cada grão de areia.

---

[15] TOMATIS, Alfred A. **The Ear and the Voice**. Lanham, MD: Scarecrow, 2005. p. 13.
[16] V. Isaías 55.12.

Extensão da audição

Quando vemos a palavra "disse", pensamos em fonética, mas deveríamos pensar em física, especialmente se for Deus quem está dizendo. Afinal, o som é primeiro e acima de tudo uma forma de energia. A voz humana é bastante boa para um propósito — a comunicação verbal. Por isso, temos a tendência de pensar na voz de Deus nesse mesmo sentido. Acontece que a voz dele é muito mais que palavras audíveis transmitidas em língua humana. Deus usa a própria voz para falar, mas também para curar e revelar, condenar e criar, guiar e agraciar. Para que a voz dele seja apreciada em plenitude, deve ser comparada e contrastada com a voz humana.

> A voz de Deus é muito mais que palavras audíveis.

Cientificamente falando, a voz humana é composta de ondas sonoras que percorrem o espaço a uma velocidade de 343 metros por segundo. O homem médio fala a uma frequência de 100 hertz, ao passo que a média das mulheres fala com uma voz mais aguda, por volta de 150 hertz. Existem os Barrys White e as Célines Dion que extrapolam os limites vocais, mas a nossa extensão vocal está entre 55 e 880 hertz. Também temos uma extensão auditiva, limitada a ondas sonoras entre 20 e 20 mil hertz. Qualquer coisa abaixo de 20 hertz é infrassônica. Qualquer coisa acima de 20 mil hertz é ultrassônica.[17] Ao sairmos da nossa extensão auditiva é que o milagre do som se revela de fato.

Abaixo do alcance da nossa audição, o infrassom tem a capacidade de provocar dores de cabeça e terremotos. De acordo com os zoólogos, os elefantes utilizam o infrassom para prever

---

[17] Hearing Range, **Wikipedia**. Disponível em: <https://en.wikipedia.org/wiki/Hearing_range>. Acesso em: 12 jan. 2018, 11:41:59.

mudanças climáticas. Ele também contribui para a navegação dos pássaros ao migrarem. E ainda pode ser usado na localização de petróleo ou na previsão de erupções vulcânicas.

Acima do alcance da nossa audição, o ultrassom tem a capacidade de matar insetos, rastrear submarinos, quebrar vidro, realizar cirurgias não invasivas, demolir prédios, polir joias, catalisar reações químicas, curar tecidos danificados, pasteurizar leite, desintegrar pedras renais, perfurar aço e permitir um vislumbre do seu bebê que ainda nem nasceu via ultrassonografia.

Deus fala de forma audível? Com certeza! Mas essa é uma fatia estreita de sua extensão vocal. A capacidade que ele tem de falar vai muito além da nossa de ouvir audivelmente. Como há pessoas que afirmam nunca terem experimentado um milagre, há quem argumente nunca ter ouvido a voz de Deus. Eu argumentaria o contrário. Isso pode ser verdade quanto à voz audível do Senhor dentro da nossa pequena extensão auditiva, mas tudo que vemos foi estruturado pelas oscilações acústicas dele.

O que vemos hoje, ele um dia disse.

Sua voz está em toda a nossa volta, o tempo todo!

Mais que grande

Se tem uma coisa que a criação revela, é isto: Deus é mais que grande. O termo teológico é "transcendência", que se evidencia pelo tamanho do Universo.

A Terra é maior que Marte, Mercúrio e a Lua. Mas é bem menor que Urano, Netuno, Saturno e Júpiter. O último é 1.321 vezes maior que a Terra em termos de volume, mas dez vezes menor que o Sol. E o Sol é uma estrela amarela anã que se pode considerar pequena em termos relativos. Arcturo, um gigante laranja, é 26 vezes maior que o Sol e produz 200 vezes mais energia. Antares, uma estrela supergigante vermelha, é 10 mil vezes mais brilhante que o Sol. E ainda nem saímos da galáxia Via Láctea!

Para nós, a Terra parece enorme. Não é tanto.

Isso serve não só como um lembrete do quanto somos incrivelmente pequenos, mas do quanto Deus é extraordinariamente grande. Ele não existe dentro da dimensão espaçotemporal que criou, portanto pare de lhe estabelecer limites quadridimensionais. "[...] para o Senhor um dia é como mil anos, e mil anos como um dia" (2Pedro 3.8). Isso não faz nenhum sentido se você existe em uma dimensão temporal, mas faz perfeito sentido se você existe fora do tempo.

Temos dificuldade para pensar em Deus em algo diferente de quatro dimensões, pois é tudo que conhecemos a vida inteira. E tentamos criar Deus à nossa imagem em vez de lhe permitir criar-nos à dele. Acabamos com um deus com *d* minúsculo, que caminha e fala de um jeito parecido demais com o nosso.

"Como você seria muito mais feliz", disse G. K. Chesterton, "como haveria muito mais de você se o martelo de um Deus superior pudesse despedaçar o seu pequeno cosmo!".[18]

> Deus fala uma língua exclusiva com você.

Deus é mais que grande, mas esse fato intimida um pouco se considerado isoladamente. A boa notícia? Existe um contrapeso a toda essa grandeza. Chama-se imanência de Deus: ele também está mais do que perto.

> O amor de Deus é um meteoro;
>   sua lealdade, um astro;
> Seu desígnio, um colosso;
>   seus veredito, um oceano.

---

[18] CHESTERTON, G. K. **Ortodoxia**. São Paulo: Mundo Cristão, 2008.

> Mas, apesar da sua grandeza,
> nada se perde [...]. (Salmos 36.5, *A Mensagem*)

Deus é excepcional não só porque nada é grande demais; Deus é excepcional porque nada é pequeno demais. Deus não apenas conhece você pelo nome; ele tem um nome ímpar para você.[19] E fala uma língua exclusiva com você.

Sob medida

O salmo 29 é uma representação poderosa, ainda que poética, da voz exterior de Deus. Costumo pensar nesse salmo durante os temporais porque ele retrata a voz do Senhor como estrondos de trovões e o clarão de raios. Mas então aparece a seguinte declaração, que mais parece um eufemismo: "A voz do Senhor é poderosa [...]" (Salmos 29.4).

Uma tradução diz: "A voz do Senhor é adequada à força".[20] Em outras palavras, ela é feita sob medida para a força ímpar de cada pessoa. Tradução: Deus fala a sua língua!

Existe uma teoria de desenvolvimento corporativo chamada pesquisa de valorização a que subscrevo como líder e pai. Em vez de se concentrar exclusivamente no que está errado e em tentar consertá-lo, você identifica o que está certo e procura replicá-lo. Pesquisa de valorização é agir nos pontos fortes

> Deus fala bilhões de dialetos, incluindo o seu.

das pessoas. É flagrá-las fazendo coisas certas. É celebrar o que você quer ver mais. E é gabar-se delas quando elas não estão vendo.

Claro, não estou sugerindo que Deus não nos convence do nosso pecado; convence sim. Chame, se quiser, de "pesquisa de

---

[19] V. Apocalipse 2.17.
[20] Bialik; Ravnitzky, **The Book of Legends**, p. 80.

pecaminosidade". Mas ele também extrai todo o nosso potencial via pesquisa de valorização. Por quê? Por ser Aquele que o concedeu para nós, antes de mais nada. Como? Tratando dos nossos pontos fortes.

Na parte 2 deste livro, examinaremos sete das linguagens do amor de Deus. Mas não é uma lista exaustiva, longe disso. Nem sequer inclui a linguagem da natureza, o que parece um pecado de omissão. A realidade? Deus fala bilhões de dialetos, incluindo o seu.

Conversei recentemente com uma pediatra indiana que frequenta a nossa igreja e foi criada em uma família hindu. Ela me contou que depositou sua fé em Jesus Cristo lendo um livro chamado *Am I a Hindu?* [Eu sou hindu?].[21] Não sei se existe outra pessoa no Planeta que tenha encontrado Jesus como essa mulher. Mas esse é um testemunho do Deus que fala a nossa própria língua.

Perdeu-se na tradução

Em seu livro brilhante *A Natural History of the Senses* [Uma história natural dos sentidos], a escritora Diane Ackerman compartilhou de um jeito bem-humorado um incidente que revela como pode ser difícil entendermos uns aos outros, ainda que falemos a mesma língua. Diane, originária de Waukegan, Illinois, visitava Fayetteville, Arkansas, quando perguntou a seu anfitrião se havia um *spa* na cidade. Ackerman sabia das famosas fontes termais e achou que seria um modo agradável de passar a tarde. No entanto, mais que depressa constatou, pelo olhar perplexo no rosto do anfitrião, que alguma coisa se perdera na tradução.

---

[21] Visvanathan, Ed. **Am I a Hindu?** The Hinduism Primer. New Delhi, India: Rupa, 1993.

— *Spas?* — repetiu o anfitrião com um forte sotaque do Arkansas. — Está se referindo a agentes russos?[22]

Nem sempre ouvimos o que está sendo dito. Por quê? Porque ouvimos tudo através do filtro das nossas histórias, personalidades, etnias e teologias.

Você sabia que cidadãos de diferentes países na verdade escutam diferente? Dá-se a isso o nome de banda de frequência fundamental. O ouvido francês, por exemplo, ouve melhor entre mil e 2 mil hertz. A largura de banda britânica é muito maior, entre 2 mil e 12 mil hertz. E o ouvido norte-americano escuta entre 750 e 3 mil hertz.[23]

> Deus fala uma língua que cada um de nós consegue entender.

Em um sentido muito real, existe o ouvido francês, o britânico e o norte-americano. Eu também poderia sugerir que há o ouvido católico e o protestante, o republicano e o democrata, o masculino e o feminino. Só porque falamos a mesma língua, não significa que escutemos uns aos outros. Falamos dialetos tão diferentes quanto *spas* e *spies*.

O que é verdadeiro em termos linguísticos, é verdadeiro em termos espirituais. Tenho absoluta confiança na verdade absoluta, mas meu entendimento da verdade não é onisciente. Nem objetivo. Felizmente, existe um Deus grande o suficiente para falar uma língua que cada um de nós consegue entender.

---

[22] ACKERMAN, Diane. **Uma história natural dos sentidos**. Rio de Janeiro: Bertrand Brasil, 1992. Só se percebe a graça do acontecido quando se considera que espia, em inglês, é *spy*, cuja pronúncia aberta, característica de algumas regiões dos Estados Unidos, pode ser confundida com a de *spa*. [N. do T.]

[23] TOMATIS, Alfred A. **The Conscious Ear:** My Life of Transformation Through Listening. Barrytown, NY: Station Hill, 1991. p. 72.

Bastante grande

Em seu livro *A Mile Wide* [Uma milha de largura], Brandon Hatmaker compartilha o relato de sua primeira viagem à Etiópia, quando foi trabalhar com o amigo Steve Fitch, fundador do Eden Projects. O desmatamento tem devastado partes daquele país, uma vez que geração após geração vem acabando com as florestas, deixando a terra estéril. O Eden Projects é uma tentativa de reflorestamento, com o objetivo de plantar 1 milhão de árvores.

Quando subiu no avião, Brandon já estava querendo desistir da viagem. Tinha medo de voar, deixaria a família para trás e se perguntava que diferença faria sua visita. Sentindo-se mal com a própria atitude, ele fechou os olhos e orou: "Deus, sinto muito. Estou me esforçando, mas o fato é que não entendo. Não tenho vontade de permanecer neste avião. Sinto que estou desperdiçando tempo e dinheiro. Se esta viagem é importante para o senhor, por favor, pode dominar a minha ignorância, dúvida e cegueira? Pode ligar os pontos e me mostrar o que não estou sendo capaz de perceber? Amém".[24]

Mal Brandon abriu os olhos, o etíope de 30 e poucos anos sentado a seu lado quis saber por que ele estava indo para a Etiópia. Brandon poderia ter dado várias respostas diferentes, envolvendo desde o desenvolvimento da comunidade até questões de ministério. Por alguma razão, limitou-se a dizer que estava indo plantar árvores. Foi quando a senhora sentada junto do etíope lhe dirigiu uma pergunta em amárico. Ao ouvi-lo responder em amárico, ela se pôs a literalmente gemer. Na verdade, levantou e começou a acenar com as mãos para o alto como se aquilo fosse mesmo muito importante para ela.

---

[24] HATMAKER, Brandon. **A Mile Wide:** Trading a Shallow Religion for a Deeper Faith. Nashville: Thomas Nelson, 2016. p. 26-27.

— O que houve? — Brandon indagou.

— A minha mãe me perguntou por que o senhor está indo para a Etiópia — o rapaz explicou.

— O que você lhe disse? — Brandon quis saber.

— Que você vai plantar árvores.

— O que ela está dizendo agora? — Brandon indagou então.

Seu vizinho revelou então que a mãe vinha orando havia trinta e oito anos para que Deus perdoasse seu povo por dilapidar a terra deles. Também orava para que ele enviasse alguém para plantar árvores. Antes que Brandon se desse conta do que estava acontecendo, a mulher impôs as mãos sobre sua cabeça e orou em seu favor entre lágrimas de alegria.

> Deus está perto o suficiente para falar por meio de desejos, de sugestões e da dor.

Posso lembrar você de uma verdade simples? Você é a resposta para a oração de alguém. Nesse caso, Brandon era a resposta de oração que aquela mulher fazia havia mais tempo do que ele tinha de vida. E, acrescento, era uma oração arrojada!

Não surpreende que Brandon tivesse agora um senso renovado de propósito. Saiu da experiência com a seguinte revelação: "O meu evangelho era pequeno demais".[25] Talvez não só o nosso evangelho seja pequeno demais. Talvez seja o nosso entendimento da voz de Deus.

Tenho uma convicção fundamental: Deus é grande o bastante. Grande o bastante para manter os planetas em órbita. Para se revelar aos astrólogos babilônios que viviam a 1.600 quilômetros de Belém. Para se revelar a pediatras hindus e a vovós etíopes.

---

[25] Ibid., p. 28.

E, falando de mim agora, para se revelar a um menino de 5 anos chamado Mark Batterson durante um filme apresentado pela Associação Evangelística Billy Graham intitulado *The Hiding Place* [O refúgio secreto].[26]

Deus é grande o bastante.

Grande o bastante para falar por intermédio de portas, de sonhos e de pessoas.

Está perto o suficiente para falar por meio de desejos, de sugestões e da dor.

Mais que perto

Muito antes de o Espírito Santo encher ou incitar ou dotar ou convencer ou selar ou revelar ou lembrar, nós o encontramos pairando sobre as águas.[27] E ele ainda paira sobre nossa vida, como fez com a criação.

Ainda chama à luz a existência dentro da escuridão.

Ainda tira ordem do caos.

Ainda produz beleza das cinzas.

O termo hebraico para descrever a proximidade de Deus é *paniym* e ele é multidimensional. No que diz respeito a tempo, *paniym* se refere à fração de segundo antes e à fração de segundo depois — um parêntese no tempo. No que diz respeito a espaço, *paniym* se refere ao lugar imediatamente à frente e logo atrás — um parêntese no espaço.

Ele é Deus *conosco* em todos os sentidos da palavra.

É um amigo *mais próximo* que um irmão!

---

[26] Depositei a minha fé em Cristo após uma exibição desse filme em uma noite de domingo por uma igreja de Minneapolis. O *refúgio secreto*. Direção de James F. Collier. 1975.

[27] V. Gênesis 1.2.

A. W. Tozer retratou *paniym* do seguinte modo: "Deus está lá no alto, mas não empurrado para cima. Embaixo, mas não pressionado para baixo. Lá fora, mas não excluído. Dentro, mas não confinado. Deus está acima de todas as coisas, reinando; por baixo de todas as coisas, sustentando; fora de todas as coisas, abraçando; e dentro de todas as coisas, preenchendo".[28]

O Espírito Santo paira. O Espírito Santo sussurra. O Espírito Santo sopra em você o mesmo fôlego que soprou no vaso de barro chamado Adão.

Lembra-se da oração mais arrojada que já fiz? Nas primeiras semanas, eu não sabia muito bem se estava ou não curado da asma, razão pela qual pedi a Deus que o confirmasse de alguma forma, de algum jeito. Mais especificamente, pedi-lhe uma confirmação em sua Palavra, e foi o que ele fez. Contudo, eu não esperava que acontecesse por meio de *uma só* palavra, ou que ela fosse em aramaico: "*Efatá!*" (Marcos 7.34), que quer dizer "Abra-se!" e é a palavra que Jesus usou para curar um homem com problemas de fala. As Escrituras dizem que, quando os ouvidos do homem foram abertos, sua língua se soltou e ele falou com clareza. Note bem a sequência.

É possível que Jesus soubesse que problemas de fala eram problemas de audição muito antes de o dr. Alfred Tomatis aparecer? Bem, o próprio dr. Tomatis citou esse milagre de Jesus como confirmação de sua conclusão de que a boca só consegue falar o que o ouvido é capaz de escutar.[29]

O foco deste capítulo esteve o tempo todo voltado para o poder da voz de Deus. Ele criou galáxias com duas palavras! E é

---

[28] Tozer, A. W. **The Attributes of God, Volume 1 with Study Guide:** A Journey into the Father's Heart. Camp Hill, PA: WingSpread, 2007. p. 22.
[29] Tomatis, **The Conscious Ear**, p. 116.

evidente que pode abrir ouvidos surdos com uma só palavra. Assim como Jesus abriu os ouvidos desse homem com uma só palavra, também abriu os meus pulmões. E a palavra que ele usou se tornou uma das minhas favoritas.

Além de pedir a Deus uma confirmação da cura, comecei a pesquisar tudo e mais um pouco relacionado com respiração.

> Deus está tão perto quanto a nossa respiração.

Não sei muito bem como essa teoria permaneceu um mistério para mim ao longo dos meus três diplomas de seminário, mas ela mudou para sempre o modo de eu pensar sobre as 23 mil respirações que damos a cada dia.[30] Alguns estudiosos hebreus acreditam que o nome de Deus, Yahweh — ou, sem as vogais, YHWH — sugere o som de uma respiração. Por um lado, esse nome é sagrado demais para ser pronunciado. Por outro lado, é sussurrado a toda e cada respiração que damos. É a nossa primeira palavra, a nossa última palavra e toda palavra entre uma coisa e outra.

Deus está tão perto quanto a nossa respiração.

O sacerdote católico Desidério Erasmo cunhou a frase latina *vocatus atque non vocatus, Deus aderit*. Tradução: "Convidado ou não, Deus está aqui". O psiquiatra suíço Carl Jung mandou gravar essas palavras acima da porta de sua casa.[31] Sem dever nada ao costume judaico de gravar as palavras do Shemá nos umbrais da

---

[30] MEADE, Walker. Every Breath You Take, **Herald Tribune**, January 12, 2010. Disponível em: <www.heraldtribune.com/news/20100112/every-breath-you-take>. Acesso em: 15 jan. 2018, 17:04:57.

[31] Bidden or Not, God Is Present, **Redondo Writer's Sacred Ordinary,** February 4, 2008. Disponível em: <http://redondowriter.typepad.com/sacredordinary/2008/02/bidden-or-not-b.html>. Acesso em: 15 jan. 2018, 17:15:17.

casa, essa declaração simples serviu como um lembrete constante da presença de Deus: a onipresença.

As Escrituras pintam o retrato de um Deus que existe fora do tempo — Aquele que foi, é e haverá de ser. Pintam o retrato de um Deus que existe fora do espaço — Aquele que está aqui, ali e em toda parte.

Mas existe um lugar onde Deus se encontra do lado de fora, olhando para dentro. Esse lugar é a porta do seu coração. Se você quiser ouvir-lhe a voz, tem de atender à batida na porta.

Somente com um convite

Em 1853, o artista inglês William Holman Hunt pintou um retrato de Jesus em pé junto a uma porta e batendo. Ele o chamou de *A luz do mundo*, uma representação visual de Apocalipse 3.20: "Eis que estou à porta e bato. Se alguém ouvir a minha voz e abrir a porta, entrarei e cearei com ele, e ele comigo".

Transcorridos cinquenta anos, Hunt disse que a obra era mais do que um quadro. Era uma sugestão, uma ordem divina.[32] Uma característica fascinante da pintura é que a porta não tem maçaneta do lado de fora, e isso foi feito assim propositadamente. Por quê? Porque a porta para o coração só se abre por dentro. Deus só entra mediante convite. E isso não vale só para Jesus; vale para o Espírito Santo também.

Pouco tempo atrás, falei em uma conferência para pastores na Inglaterra. Era a primeira vez que falava aos nossos compatriotas do outro lado do Atlântico, de modo que não sabia bem o que esperar. Creio que eu sofria da influência subliminar da série *Downton Abbey*, imaginando que o ambiente talvez fosse um

---

[32] FORBES, Christopher. Images of Christ in the Nineteenth-Century, **Magazine Antiques**, 160, nº 6. (December 2001): 794.

tanto formal, um tanto ascético. Mas o que encontrei foi tão revigorante que eu gostaria de poder engarrafar a experiência e desarrolhá-la na igreja que pastoreio.

Uma prática simples causou impressão permanente em mim, um dos principais suportes da tradição anglicana. Trata-se da recitação da mais simples das orações: "Vem, Espírito Santo". A frase latina *Veni Creator Spiritus* pode ter se originado com um hino do século IX composto por um monge beneditino, Rábano Mauro. Desde a Reforma anglicana do século XVI, foram feitas mais de 50 traduções. Mas a versão incluída na revisão de 1662 do *Livro de oração comum* é esta:[33]

> O perigo com qualquer oração repetida é que ela pode se transformar em um encantamento vazio.

> Vem, Espírito Santo, nossas almas inspirar,
> e iluminar com fogo celestial.
> Embora sejas o Espírito da unção,
> que teus sétuplos dons concedes.

Essa oração foi feita em favor do rei Carlos I em sua coroação no ano de 1625, e a mesmíssima oração tem sido feita na coroação de cada monarca inglês desde então. As palavras são entoadas pelo coro da coroação após o cântico do Credo, enquanto o rei, ou a rainha, é conduzido para ocupar o trono da coroação, logo antes da unção.[34]

Você não precisa dizer ao Espírito Santo quando ou onde ou como vir, mas deveria lhe estender um convite. A oração não

---

[33] Tradução livre do original ao qual se aplica a observação do autor. [N. do T.]
[34] Veni Creator Spiritus, **Wikipedia**. Disponível em: <https://en.wikipedia.org/wiki/Veni_Creator_Spiritus>. Acesso em: 15 jan. 2018, 22:37:17.

é um "abracadabra". O perigo com qualquer oração repetida é que ela pode se transformar em um encantamento vazio. Mas, se você fizer essa oração e se a fizer proferindo com sinceridade cada palavra, não se surpreenda se o Espírito Santo aparecer e se revelar de algumas formas estranhas e misteriosas!

E lembre-se, na verdade não será Deus falando mais alto do que já faz. Será você ouvindo um pouco mais de perto, um pouco melhor.

Talvez essa seja a sua oração mais arrojada?

3

O lugar do sussurro

"Assim também ocorre com a palavra
que sai da minha boca [...]."
— Isaías 55.11 — 1 parte

Em março de 1792, o secretário de Estado Thomas Jefferson anunciou uma competição que premiaria com 500 dólares e um terreno na cidade quem apresentasse "o melhor projeto" para o Capitólio dos Estados Unidos. Nenhum dos 17 projetos submetidos para apreciação foi aceito. Ao término da competição, um médico formado na Escócia que vivia nas Ilhas Ocidentais Britânicas, dr. William Thornton, pediu permissão para apresentar uma proposta, e seus projetos acabaram sendo aprovados. O arquiteto amador ficou conhecido como o "primeiro arquiteto" e, uma década depois, foi o primeiro superintendente do Instituto Americano de Patentes.[1]

No ano seguinte ao que Thornton apresentou seu projeto para o Capitólio, o presidente George Washington conduziu

---

[1] Dr. William Thornton, **Architect of the Capitol**. Disponível em: <www.aoc.gov/architect-of-the-capitol/dr-william-thornton>. Acesso em: 15 jan. 2018, 23:05:27.

uma multidão até a Jenkins Hill, hoje Capitol Hill. Ao som de música e tambores ressoando, com bandeiras coloridas tremulando e espectadores celebrando, a pedra fundamental do Capitólio foi instalada em 18 de setembro de 1793. Consagraram-na com milho, vinho e óleo. As festividades se encerraram com um boi de mais de 220 quilos sendo abatido, estabelecendo um precedente para um dos rituais norte-americanos mais sagrados: o churrasco![2]

Com duzentos e vinte e cinco anos de história, o Capitólio é talvez a estrutura mais célebre nos Estados Unidos. As decisões tomadas, os atos implementados e as conversas acontecidas no interior daqueles corredores consagrados alteraram o curso da História vezes e mais vezes. Se suas paredes falassem, contariam de audiências públicas e conversas privadas, do debate de projetos de lei e dos votos da câmara que forjaram a nossa nação.

Foi ali, em 24 de maio de 1844, que Samuel Morse tamborilou a primeira mensagem telegráfica de longa distância: "O que Deus fez!". O protótipo de Morse enviara mensagens entre as alas do Capitólio ocupadas pelo Congresso e pelo Senado, pontos e traços que percorreram 61 quilômetros até uma estação ferroviária em Baltimore, Maryland, revolucionando a comunicação de tal maneira que não seria experimentada outra vez até a invenção do telefone ou o advento do *e-mail* e da internet.[3]

Nesse mesmo lugar, em 3 de março de 1865, Abraham Lincoln, enquanto assinava a legislação na sala presidencial ao

---

[2] The First Cornerstone, **Architect of the Capitol**. Disponível em: <www.aoc.gov/first-cornerstone>. Acesso em: 15 jan. 2018, 23:36:20.
[3] Baltimore-Washington Telegraph Line, **Wikipedia**. Disponível em: <https://en.wikipedia.org/wiki/Baltimore-Washington_telegraph-line>. Acesso em: 16 jan. 2018, 00:10:38.

término da sessão, soube do desejo do Sul de se render. Já no dia seguinte, Lincoln proferiu seu segundo discurso de posse do pórtico leste: "Sem maldade contra ninguém; com caridade para com todos".[4] Seis semanas mais tarde, o nosso décimo sexto presidente era velado na rotunda do Capitólio, vítima da bala calibre .44 de John Wilkes Booth.

Foi ali, em 8 de dezembro de 1941, que Franklin Delano Roosevelt reanimou uma nação enlutada no dia seguinte a "uma data que viverá na infâmia".[5] Depois que ele proferiu seu discurso em uma sessão conjunta do Congresso, os Estados Unidos declararam guerra ao Japão pelo ataque gratuito contra Pearl Harbor e entrou na Segunda Guerra Mundial.

Há vinte anos, vivo a exatos 1,6 quilômetro do Capitólio. Da nossa casa vejo a Estátua da Liberdade assentada sobre a cúpula de ferro fundido. Usamos o Capitólio para os nossos piqueniques no verão e andar de trenó no inverno. Contudo, apesar do fato de que passo de carro por ele ou o contorno quando saio para correr quase todos os dias, ele jamais me cansa. Devo parecer um turista como outro qualquer quando embarco ou desembarco no Reagan National Airport porque ainda tiro fotos. Ele é tão lindo como no dia em que pus os meus olhos em cima dele pela primeira vez.

Com o passar dos anos, encontrei alguns lugares favoritos dentro do Capitólio. A vista do escritório da capelania do Senado é espetacular — um panorama do parque National Mall e

---

[4] Abraham Lincoln and the U. S. Capitol, **Abraham Lincoln Online**. Disponível em: <www.abrahamlincolnonline.org/lincoln/sites/uscapitol.htm>. Acesso em: 16 jan. 2018, 00:17:48.

[5] History Matters. Disponível em: <http://historymatters.gmu.edu/d/5166/>. Acesso em: 16 jan. 2018, 00:22:59.

seus monumentos se descortinam atrás da janela que parece a cabine da fragata Millennium Falcon de *Guerra nas estrelas*. Postar-se no meio dos oito quadros impressionantes que circundam a rotunda do Capitólio é absolutamente deslumbrante, e vale notar que essas obras de arte representam um estudo bíblico dentro do Mayflower, o batismo de Pocahontas e talvez a primeira reunião de oração no Novo Mundo.[6]

Para mim, no entanto, o lugar mais inspirador dentre os 540 cômodos que se estendem por quatro acres é o Salão das Estátuas. Trata-se de um salão semicircular de dois pavimentos no Old Hall, onde a Câmara dos Deputados se reuniu pela primeira vez em 17 de novembro de 1800. Junto à entrada encontra-se uma escultura de mármore, o *Carro da História*, representando Clio, musa da História, segurando um livro em que registra os eventos à medida que se desenrolam.[7]

Em 1864, o Congresso convidou cada estado a indicar dois cidadãos eminentes para exposição permanente no Capitólio. Trinta e oito das atuais cem estátuas montam guarda no Salão das Estátuas. Incluem Philo T. Farnsworth de Utah, inventor da televisão; Thomas Edison de Ohio, titular de 1.093 patentes norte-americanas; Rosa Parks e Helen Keller do Alabama, que romperam barreiras raciais e de deficiência; Jacques Marquette de Wisconsin, missionário jesuíta que mapeou o rio Mississippi; e Sacagawea de Dakota do Norte, a heroína da

---

[6] Entendo perfeitamente que muitos historiadores discordem da motivação por trás da viagem épica de Cristóvão Colombo, e a dificuldade para discernir sua verdadeira intenção quinhentos anos após o ocorrido. Colombo era perfeito? Muito pelo contrário. Mas isso não muda o fato de que ele se ajoelhou e orou como um ato de consagração ao descobrir o Novo Mundo.

[7] Car of History Clock, **Architect of the Capitol**. Disponível em: <www.aoc.gov/art/other/car-history-clock>. Acesso em: 16 jan. 2018, 10:36:35.

tribo shoshone que ajudou Lewis e Clark a avaliarem a aquisição da Louisiana.

Entrar no Salão das Estátuas é como entrar no Quem é Quem da história norte-americana, rodeado de uma grande nuvem de testemunhas. Mas agora quero falar sobre o meu local favorito dentro da minha sala favorita: o lugar do sussurro.

Ondas de sussurro

No meu primeiro *tour* pelo Capitólio, há mais de duas décadas, o nosso guia revelou um segredo que na verdade nada tinha de secreto: o lugar do sussurro. Ele se posicionou de um lado do Salão das Estátuas enquanto o nosso grupo de visitantes permaneceu do outro lado. Em seguida, falou em um sussurro, e misteriosa e milagrosamente conseguimos ouvir o eco de sua voz do outro lado do salão, como se ele estivesse a centímetros de distância.

Algumas histórias absurdas têm sido contadas ao longo dos anos, como a de John Quincy Adams, que, fingindo dormir junto da mesa, espionava seus oponentes políticos. Esses relatos não podem ser confirmados, mas a física envolvida pode. As paredes circulares e o teto abobadado do Salão das Estátuas permitem que as ondas do sussurro percorram a circunferência da sala de maneiras incomuns.

> Deus pode aparecer em qualquer lugar, a qualquer tempo, de qualquer forma.

Não sei se o dr. William Thornton tinha em mente esse efeito acústico, e, dada a configuração alterada do salão, os ecos na verdade acontecem hoje em lugares diferentes dos da época em que ali funcionava a Câmara dos Deputados. Mas a realidade é a seguinte: posicionando-se no lugar certo, você pode escutar um sussurro baixo emitido do outro lado do salão, mesmo havendo barulho em seu interior. E isso é verdade inclusive no mês de maio, quando parece que todo estudante do oitavo ano dos Estados Unidos visita a capital federal em uma excursão de classe.

Quando percorro a Bíblia, vejo lugares de sussurro por toda parte.

Para Abraão foram os carvalhos de Manre.[8]

Para Isaque foi o poço fora da cidade de Naor.[9]

Para Jacó foi Betel.[10]

Para Moisés foi uma sarça em chamas.[11]

Para Josué foi Gilgal.[12]

Para Gideão foi junto à grande árvore de Ofra.[13]

Para Samuel foi o tabernáculo em Siló.[14]

Para Davi foi a caverna de Adulão.[15]

Para Elias foi o monte Carmelo.[16]

Para Mardoqueu foi junto à porta do palácio real, na cidadela de Susã.[17]

Para Ezequiel foi o rio Quebar.[18]

Para Daniel foram as janelas do andar de cima que davam para Jerusalém.[19]

---

[8] V. Gênesis 13.18.
[9] V. Gênesis 24.
[10] V. Gênesis 28.10-22.
[11] V. Êxodo 3.2.
[12] V. Josué 5.2-9.
[13] V. Juízes 6.11.
[14] V. 1Samuel 3.
[15] V. 1Samuel 22.1.
[16] V. 1Reis 18.
[17] V. Ester 2.
[18] V. Ezequiel 1.1.
[19] V. Daniel 6.10.

Para Jonas foi o ventre de uma baleia.[20]

Permita-me esclarecer um detalhe antes de prosseguirmos. Deus pode aparecer em qualquer lugar, a qualquer tempo, de qualquer forma. Na verdade, talvez seja por isso que Deus apareceu a Moisés daquele jeito. Fosse eu o roteirista, provavelmente teria usado as pirâmides como cenário, mas Deus escolheu uma sarça em chamas do outro lado do deserto. Por quê? De acordo com o ensinamento rabínico, foi para mostrar que nenhum lugar é destituído da presença de Deus.

Sim, a presença de Deus se manifestava de maneira singular entre as asas dos querubins sobre a arca da aliança colocada no Lugar Santíssimo no Dia da Expiação. Mas, se pensa que Deus está confinado a um dia cronológico ou a uma localização geográfica, você o guardou dentro de uma caixa — mesmo sendo a caixa a arca da aliança. Não use a Bíblia para encaixotar Deus.

Há aqueles que acreditam que Deus fala *apenas* pelas Escrituras, sei disso. É um erro bem-intencionado que costuma ser perpetrado por quem tem as Escrituras em alta conta, como eu. Com certeza acredito que a Bíblia ocupa uma categoria só sua como Palavra inspirada de Deus e que o cânon está fechado. Mas, na verdade, minamos a autoridade das Escrituras ao nos recusarmos a acreditar na capacidade de Deus de nos falar hoje da mesma maneira que fala nas páginas da Bíblia.

Quando examino as Escrituras, vejo Deus aparecendo em lugares estranhos, em momentos estranhos, de maneiras estranhas. E não acho que nada mudou. Deus com certeza não se contradirá, mas ainda é previsivelmente imprevisível!

Ele ainda converte encontros em encontros divinos. Ainda provoca desejos, abre portas e inspira sonhos. Ainda fala por intermédio

---

[20] V. Jonas 2.

de sugestões, de pessoas e da dor. E, como fez no caso de Moisés, pode transformar qualquer porção de terra em solo sagrado.

Marcas de joelhos

Em 1940, o dr. J. Edwin Orr levou um grupo de alunos do Wheaton College para estudar na Inglaterra. Uma das paradas do grupo incluía Epworth Rectory. O antigo presbitério é atualmente um museu metodista, mas já foi o lar de John Wesley, fundador do movimento metodista.

Em um dos quartos, há duas marcas onde se acredita que John Wesley se ajoelhava regularmente para orar. Quando os alunos retornaram para o ônibus, o dr. Orr observou que faltava um deles. Voltando a subir ao segundo andar do presbitério, ele encontrou o jovem Billy Graham ajoelhado sobre as marcas e orando: "Oh, Senhor, faça de novo!".[21]

Vivo segundo uma máxima simples: se fizermos o que faziam na Bíblia, Deus fará o que ele fez. Ele ainda fala. Ainda cura. Ainda liberta. Ainda sussurra. E não há nada que Deus deseje mais do que "fazer de novo". E de novo, e de novo, e de novo. Claro, precisamos nos posicionar como fizeram John Wesley e Billy Graham.

Falaremos sobre a linguagem dos desejos em breve, e não quero atropelar nada. Mas você se lembra de como John Wesley abraçou a fé em Cristo? Ele afirmava que seu coração ficou "estranhamente aquecido" em um lugar chamado Aldersgate.[22] Soa

---

[21] Descobri essa história na conferência Hillsong na cidade de Nova York em 3 de agosto de 2016. Impressa na contracapa do livreto do evento havia a seguinte citação: "Conforme relatado pelo rev. dr. Gordon Noyes A. C. — Wesley Mission".

[22] GRAVES, Dan. John Wesley's Heart Strangely Warmed, **Christianity.com**. Disponível em: <www.christianity.com/church/church-history/timeline/1701-1800/john-wesleys-heart-strangely-warmed-11630227.html>. Acesso em: 16 jan. 2018, 13:35:56.

subjetivo demais, não? Mas esse sentimento inspirado por Deus é um testamento desse Deus que nos fala no nível da emoção, e existe precedente bíblico para isso.

Lembra-se dos discípulos que caminhavam de Jerusalém a Emaús após a crucificação e ressurreição de Jesus? Ele andou ao lado deles, conversando com eles. No entanto, não o reconheceram. Pode ser difícil de imaginar uma coisa dessa, mas aqueles homens não dispunham de uma categoria para ressurreição. Além disso, tinham os rostos "entristecidos" (Lucas 24.17). Quando nos sentimos deprimidos, costumamos não perceber o que está bem diante dos nossos olhos. Só depois que Jesus fez o que eles já o tinham visto fazer — pegar o pão, dar graças e parti-lo —, sua identidade lhes foi revelada.

Lembra-se do que disseram um para o outro depois do acontecido?

> [...] "Não estava queimando o nosso coração enquanto ele nos falava no caminho e nos expunha as Escrituras?" (24.32)

Só porque algo não está na Bíblia, isso não o torna antibíblico. Por antibíblico quero dizer contrário aos ensinamentos das Escrituras. Existe outra categoria — não bíblico —, e ela tem em si uma conotação muito diferente. Significa apenas que não há precedente nas Escrituras.

Isso faz da questão antibíblica? Não necessariamente. Não há precedente para púlpitos, ou hinários, ou devocionais. Mas, desde que a metodologia não contrarie a teologia ortodoxa, estamos em solo firme. Talvez até em solo sagrado.

> Deus fala até por meio de emoções que não podem ser traduzidas em palavras.

Não deveríamos tomar decisões cuja base exclusiva seja a emoção, mas tampouco ignorá-la. Na verdade, uma das melhores maneiras de aferir a vontade de Deus é discernir se a paz de Cristo está ou não atuando como juiz em seu coração.[23] E isso requer inteligência emocional. Deus fala até por meio de emoções que não podem ser traduzidas em palavras, como a paz que transmite entendimento e alegria indizíveis.[24]

Uma orelha furada

"Aquele que tem ouvidos, ouça!" (Mateus 11.15.) Seis vezes nos Evangelhos e oito no livro de Apocalipse, Jesus repete essas cinco palavras. É a declaração mais simples possível, mas as implicações são exponenciais. A exortação é urgente, e creio que o seu destino depende dela.

Quando Jesus declarou "Aquele que tem ouvidos, ouça", o ouvido judeu detectaria alusões a Salmos 40.6: "[...] abriste os meus ouvidos [...]". O termo hebraico para "abriu" é arqueológico, significando "escavar" ou "cavar em meio a material compacto". Creio que o modo de fazermos isso é ouvindo com o ouvido interno. Mas a palavra traduzida por "abriu" também pode ser "perfurar", o que tem levado muitos estudiosos da Bíblia a acreditar que Davi estava prestando sua homenagem a um antigo ritual delineado no monte Sinai.

> Obedecer é sintonizar na frequência de Deus e aumentar o volume.

Após cumprir um período de seis anos, no sétimo ano o servo hebreu era libertado.[25] Contudo, se ele amasse seu senhor a ponto de não querer desistir da própria servidão, lhe era concedida a

---

[23] V. Colossenses 3.15.
[24] V. Filipenses 4.7 e 1Pedro 1.8.
[25] V. Êxodo 21.2.

opção de prometer fidelidade ao senhor por sua vida inteira. Como? Por um ritual sagrado que envolvia a perfuração de uma orelha: "[...] Terá que levá-lo à porta ou à lateral da porta e furar a sua orelha. Assim, ele será seu escravo por toda a vida" (Êxodo 21.6).

Sua orelha espiritual foi furada?

Sua orelha interna está consagrada a Cristo?

A voz mansa e delicada é a que soa mais alto em sua vida?

A palavra latina para "obedecer" é *obedire*, que quer dizer "apurar os ouvidos".[26] A obediência começa com uma orelha furada. É sintonizar na frequência de Deus e aumentar o volume. É obedecer a seus sussurros, mesmo se mil pessoas estiverem gritando algo diferente.

"Dize-me ao que prestas atenção", disse o filósofo espanhol José Ortega y Gasset, "e eu te direi quem és".[27] Com o tempo, você será moldado à imagem da voz mais alta na sua vida — a que você mais escuta.

O ouvir genuíno é, em última análise, um ato de submissão. Se você é casado e já teve uma "discussão acalorada" com o seu cônjuge, sabe do que estou falando. A reação natural é erguer a voz, não é? Mas isso raras vezes resolve o problema. Na verdade, nunca resolve. A solução é calar a boca e abrir os ouvidos. O jeito de nos submetermos uns aos outros é ouvindo genuína, atenta, paciente e cuidadosamente. E um relacionamento com Deus não difere nada disso.

O ouvido interno

Temos dificuldade para imaginar que a solução dos nossos problemas seja ouvir, mas ouvir é a prova de fogo. Para entender a

---

[26] ONLINE ETYMOLOGY DICTIONARY, s.v. "obey". Disponível em: <www.etymonline.com/index.php?term=obey>. Acesso em: 16 jan. 2018, 16:21:46.
[27] GASSET, José Ortega y. **Man and Crisis**. Trad. Mildred Adams. New York: W. W. Norton, 1958. p. 94.

plena importância desse ato, um pouco de anatomia do ouvido se faz necessário.

Ondas sonoras colidem contra o nosso ouvido como as ondas do mar na praia. Percorrem um labirinto que a escritora Diane Ackerman compara a uma "pista de minigolfe insana" que inclui desde "traçados em arabescos, bifurcações, rotatórias" até "sistema de revezamentos, alavancas, princípios de hidráulica e etapas de *feedback*".[28]

O ouvido externo funciona como um funil, captando o som. Depois de atravessarem o canal do ouvido e chegarem ao tímpano, as vibrações dão de cara com três dos menores ossos do corpo: martelo, bigorna e estribo. A partir do ouvido médio, as vibrações se espiralam por um tubo em forma de caracol chamado cóclea, que contém milhares de células capilares microscópicas responsáveis por amplificar o som ao longo do caminho. A partir desse ponto, o oitavo nervo craniano transmite impulsos como em código Morse para o córtex auditivo, onde agudeza, volume, tom, distância, direção e significado são traduzidos em informação pronta para o uso.

De novo, não me diga que você nunca experimentou um milagre. Você o faz toda vez que o som empreende sua misteriosa jornada através do ouvido externo, médio e interno.

Uma das misteriosas capacidades do ouvido humano é desligar determinados sons ao mesmo tempo que se sintoniza com outros. Quando jogava basquete na faculdade, não importava quantas pessoas berrassem e gritassem perto de mim, eu conseguia discernir a voz do meu pai em meio à multidão. Essa habilidade "é possível", observa Ackerman, "porque na verdade ouvimos as coisas duas vezes".[29]

---

[28] ACKERMAN, Diane. **A Natural History of the Senses**. New York: Vintage Books, 1990. p. 177.

[29] Ibid., p. 181.

Audiologicamente, existe um curto intervalo de tempo entre o momento em que as ondas sonoras atingem o ouvido externo e o momento em que alcançam o interno. Assim, algumas coisas ouvimos uma vez, outras vezes duas. Quando Jesus disse "Aquele que tem ouvidos, ouça!", acho que fazia uma exortação a se ouvir não uma, mas duas vezes. É nesse intervalo entre a primeira audição e a segunda que discernimos as sugestões do Espírito Santo.

> Não ouça a Deus apenas com o ouvido externo.

Não ouça a Deus apenas com o ouvido externo. Desse modo, as coisas entram por um ouvido e saem pelo outro. Dê a Deus uma segunda audição, com o ouvido interno. Assim, a verdade passa da sua cabeça para o fundo do seu coração. E talvez, só talvez, seja assim que passamos do pátio exterior para o interior — o Lugar Santo, onde Deus manifesta sua presença!

Lei do quadrado inverso

O lugar do sussurro no Capitólio dos Estados Unidos pode ser a galeria de sussurros mais famosa, mas não é a única. O efeito de sussurro foi descoberto em 1878 na Catedral de São Paulo em Londres por lorde Rayleigh. Ele ganhou o Prêmio Nobel de 1904 pela descoberta do elemento químico argônio, número atômico 18. Mas sua verdadeira paixão, o fascínio de sua vida inteira, era o som. Na verdade, há uma onda sonora de baixa frequência batizada em sua homenagem. A onda Rayleigh, inaudível para o ouvido humano, é a frequência que pássaros, insetos e outros animais usam para uma comunicação infrassônica.

Lorde Rayleigh, anglicano devoto, explicou o mistério dos sussurros itinerantes na Catedral de São Paulo por meio de experimentos sonoros elaborados com brilhantismo, demonstrando que um sussurro produz quatro, cinco, até seis ecos. De acordo com a lei do quadrado inverso, o som deveria enfraquecer em intensidade na relação inversa da distância.[30] À medida que o som viaja, ele se dispersa, de modo que, hipoteticamente, as nossas palavras deveriam ter metade da energia no dobro da distância. Lugares de sussurro são uma exceção singular a essa regra. Os sussurros na Catedral de São Paulo podem ser ouvidos altos e claros a longas distâncias em razão da curvatura dos tetos e paredes.

Você já consegue adivinhar onde isso vai dar, não?

Como no mundo físico, há lugares de sussurro no mundo espiritual. Quero ajudar você a descobrir seu lugar de sussurro — o lugar no qual você ouvirá o sussurro de Deus, onde a voz dele ecoa alto e pelo máximo de tempo possível, o lugar onde ele fala via cura e revelação, convicção e criação.

A voz de Deus não está sujeita à lei do quadrado inverso — ou a qualquer outra lei da natureza, aliás. Sua voz não diminui com o espaço e o tempo. O Deus que definiu as leis da física tem o poder de desafiar as ditas leis. O Deus que criou o Sol pode fazê-lo parar no céu. A grande ironia, claro, é que, quando ele viola as leis da física, damos a isso o nome de milagre. E é. Mas, na verdade, trata-se do segundo milagre em uma sequência. Deter o Sol é um milagre, mas também o é manter a Terra em órbita. Comemore o segundo milagre, mas não menospreze o primeiro. O milagre é duplo.

> A voz de Deus não enfraquece com a distância.

Tudo isso para dizer o seguinte: o som da voz de Deus não enfraquece com a distância.

---

[30] Inverse Square Law, Sound, **HyperPhysics**. Disponível em: <http://hyperphysics.phy-astr.gsu.edu/hbase/Acoustic/invsqs.html>. Acesso em: 17 jan. 2018, 12:12:27.

O profeta Isaías disse isso do seguinte modo:

> "Assim também ocorre com a palavra que sai da minha boca:
> ela não voltará para mim vazia,
> mas fará o que desejo
> e atingirá o propósito para o qual a enviei" (55.11).

Lembre-se, as duas primeiras palavras de Deus continuam ecoando nas extremidades exteriores do Universo, criando galáxias por onde passam! O que é verdade acerca dessas duas primeiras palavras é verdade em relação a cada sussurro. Ao inventariar a minha vida, constato que todas as bênçãos, todos os grandes avanços, na verdade são ecos de sussurros divinos. Tenho aprendido ainda que determinados lugares e posturas me ajudam a ouvir a voz de Deus com mais clareza.

A Tenda do Encontro

Na minha época da faculdade, um versículo afetou-me mais que qualquer outro. Poderia parecer um tanto estranho a princípio, mas inspirou o meu primeiro lugar de sussurro. É a história sobre a Tenda do Encontro que Moisés montou do lado de fora do acampamento de Israel enquanto os israelitas peregrinavam pelo deserto. No meu ponto de vista, Moisés a montava fora do acampamento a fim de manter os ouvidos longe dos sons produzidos ali. Estava cansado dos queixumes, das reclamações e murmurações dos israelitas, e necessitava desesperadamente de um lugar tranquilo — um lugar de sussurro.

Moisés é o protagonista dessa história, mas há uma cena extra bem no final.

> [...] Depois Moisés voltava ao acampamento; mas Josué, filho de Num, que lhe servia como auxiliar, não se afastava da tenda. (Êxodo 33.11)

Você já se perguntou por que Deus escolheu Josué para suceder a Moisés? Para início de conversa, ele era um dos espias que voltaram com um parecer positivo quando os israelitas investigaram Canaã pela primeira vez.[31] Os outros dez espias, cujas vozes eram muito altas, retornaram com relatórios negativos. O povo deu ouvidos às vozes erradas, e isso lhes custou quarenta anos!

> Deus confia mais em quem passa mais tempo com ele.

Mas uma segunda razão explica a escolha divina de Josué para suceder a Moisés. Deus confia mais em quem melhor o conhece, e quem melhor o conhece é quem passa mais tempo com ele. Como Josué nunca se afastava da Tenda do Encontro, era a escolha óbvia.

Quando eu cursava a faculdade, queria ser Josué. Toda vez que havia um apelo de reconsagração, eu ia à frente. Por quê? Porque não queria deixar no altar fosse qual fosse o dom que Deus desejava me dar. Era esse o preço da oportunidade, e eu não o queria pagar. Também criei uma "Tenda do Encontro" que se converteu no meu lugar de sussurro.

Quase todos os dias, depois do almoço, eu me esgueirava para dentro da capela. Encontrava as luzes apagadas e a capela vazia, exceto pela ronda ocasional de um zelador. Subia os degraus até a galeria, onde andava de um lado para o outro e orava. Na época, não tínhamos pedômetros, mas aposto que no último ano cheguei a andar mais de um quilômetro e meio enquanto orava. Foi quando aprendi a discernir a voz de Deus, incluindo um incômodo no meu espírito que me manteve longe do que poderia ter sido uma situação ruim (a qual detalharei quando falar sobre a linguagem das portas).

---

[31] V. Números 13.

No seminário, o meu lugar de sussurro era o apartamento de 120 m² que a minha esposa e eu alugamos no *campus* da Trinity International University em Deerfield, Illinois. Lora trabalhava enquanto eu frequentava as aulas, de forma que tinha o apartamento só para mim a maior parte dos dias. Foi ali que Deus me pegou e sacudiu a poeira dos meus ombros depois da implantação fracassada de uma igreja.

Um dos meus lugares de sussurro mais duradouros foi uma coluna de mármore na frente da Union Station em Washington, DC, onde a National Community Church se reuniu durante treze anos. Eu me acomodava naquela coluna nas noites de sábado para falar com Deus e ouvi-lo.

O meu ponto de sussurro atual, o favorito de todos os tempos, é o terraço em cima do Café Ebenezers. O sinal é excelente lá em cima! Quando se ora no alto de um milagre que Deus já realizou, fica difícil não ter fé. O Ebenezers já foi um sussurro, e Deus continua a sussurrar para mim ali.

Quando comecei a orar na galeria da capela ou no terraço do café, eles eram apenas "pontos de acesso". Com o tempo se converteram em lugares de sussurro, os quais não precisam ser exóticos. Muito pelo contrário. Costumam ser comuns como um *closet* transformado em *closet* de oração. A chave não está na geografia, mas na consistência.

Se você comparecer, Deus também o fará!

Ponto de escuta

Em 1956, o ambientalista Sigurd Olson construiu uma pequena cabine na margem do lago Burntside, no norte de Minnesota. Dar nome às casas no lago é um costume local, ainda mais em uma região de 10 mil lagos. A maioria tem nomes bem previsíveis, mas

Olson foi um pouco mais intencional. Seu objetivo ao construir ali uma cabana era "ouvir tudo que valesse a pena ser ouvido",[32] de modo que a nomeou Ponto de Escuta.

Ouvir não acontece por *default*, mas intencionalmente. Você tem de sair do acampamento e construir uma tenda do encontro. Tem de buscar a solitude, procurar o silêncio. Tem de eliminar as distrações sem dó nem piedade. E tem de abaixar o volume de algumas vozes ou desligá-las por completo. Pode ser algo tão inocente como um programa de debates no rádio ou inócuo como a mídia social. Por que não desligar o rádio e conversar com Deus ao longo de seu deslocamento para o trabalho? Ou jejuar das mídias sociais por um tempo? Ou fazer um retiro de silêncio?

> Você precisa estar comprometido e determinado a encontrar tempo e lugar para ouvir Deus.

Não quero superespiritualizar a importância do lugar de sussurro, mas tampouco subespiritualizá-la. Mesmo que você elimine a espiritualidade da equação, ainda necessita de um espaço ou lugar para encontrar um pouco de paz e tranquilidade. Se vive em uma cidade, como eu, você sabe que isso não é fácil. E, se é pai de crianças pequenas, talvez tenha só dez minutos durante a soneca da tarde. Não importa, você precisa estar comprometido com isso e determinado a encontrar tempo e lugar.

Susanna Wesley criou 17 filhos em uma casa muito pequena, de modo que a solitude era algo difícil de conseguir. Seu lugar de sussurro era uma cadeira de balanço no meio da sala. Quando se

---

[32] OLSON, Sigurd, in: HENDY, David. **Noise:** A Human History of Sound and Listening. New York: HarperCollins, 2013. p. 20.

sentava nela e puxava um cobertor sobre si, ele se transformava em sua tenda do encontro.[33]

Talvez tenha sido isso que inspirou John, filho de Susanna, a se ajoelhar junto da cama.

Thomas Edison tinha uma "cadeira de pensar".[34]

Alexander Graham Bell tinha um "lugar para sonhar" com vista para o rio Grand.[35]

Henry David Thoreau arremessava pedras no lago Walden.

E também teve Ludwig van Beethoven, que começava o dia de madrugada com uma xícara de café que ele preparava com grande cuidado contando 60 grãos por xícara.[36] Sentava-se à escrivaninha até o começo da tarde e então saía para um passeio lento a fim de revigorar a mente. Levava um lápis e algumas folhas de partitura em branco no bolso para registrar ideias musicais fortuitas.[37]

Seu lugar de sussurro será tão singular quanto você, mas cabe a você encontrar um tempo, um espaço.

Posso fazer uma pergunta aparentemente tola? Você já tentou marcar um encontro com alguém sem indicar hora e lugar?

---

[33] SLAYTON, Marina; SLAYTON, Gregory W. **A melhor mãe do mundo:** guia prático para criar filhos felizes em uma sociedade em crise. Rio de Janeiro: Thomas Nelson, 2015.

[34] Thomas Edison, **World-Wide-Matel**. Disponível em: <http://johnsonmatel.com/blog1/2011/05/post_80.html>. Acesso em: 17 jan. 2018, 22:02:26.

[35] Bell Homestead. Disponível em: <<www.bellhomestead.ca/Pages/default.aspx>. Acesso em: 17 jan. 2018, 22:05:14.

[36] CURREY, Mason, Rise and Shine: The Daily Routines of History's Most Creative Minds. **Guardian**, October 5, 2013. Disponível em: <www.theguardian.com/science/2013/oct/05/daily-rituals-creative-minds-mason-currey>. Acesso em: 17 jan. 2018, 22:21:46.

[37] CURREY, Mason. **Os segredos dos grandes artistas**. São Paulo: Campus, 2013.

Imagine perguntar para alguém quando ele quer se encontrar com você e esse alguém responder: "Uma hora dessas". Ou lhe perguntar onde ele quer encontrar você e ouvir: "Por aí". Boa sorte com esse encontro! Gosto de flexibilidade, mas esse encontro nunca acontecerá, a não ser por acidente.

Uma decisão determinante

A solitude é uma chave para ouvir a voz de Deus, sem sombra de dúvida, mas necessita de um contrapeso. Ouvir a voz de Deus não é um esporte solitário, mas de equipe. E uma das melhores formas de ouvir-lhe a voz é andar com pessoas que a ouvem. Tem alguém em sua vida que parece ouvir Deus com mais frequência e clareza que você? Chegue o mais perto que puder dessa pessoa. É bem possível que você ouça, nem que seja sem querer, a voz de Deus!

Dick Eastman é uma dessas pessoas para mim. Nunca me esquecerei do dia em que ele e eu nos sentamos no meu escritório e ele compartilhou um momento determinante em sua vida.[38] Alguém lhe dera uma gravação em fita cassete de "The Holy Hour!" do arcebispo Fulton J. Sheen falando a um grupo de freiras. A qualidade da gravação era tão ruim que Dick mal conseguia entender o que havia naquela fita, mas ele ouviu a voz de Deus alta e clara. Aquela fita cassete mudou o curso de sua vida em razão de uma decisão determinante que tomou depois de ouvi-la.

O arcebispo de 80 anos revelou para as freiras o segredo de seu sucesso como talvez o católico mais influente dos Estados Unidos na época, com exceção do papa. Fora de contexto, pareceria um pouco arrogante, mas, quanto mais velho fica, mais direto você pode ser. Não há tempo para enrolação. Disse Sheen: "Vocês, freiras, são bem mais inteligentes do que eu. Então por

---

[38] 23 de março de 2014.

que eu estou lhes falando? [...] Vou explicar por quê". Em seguida, o arcebispo respondeu à própria pergunta: "Porque as minhas palavras têm poder". E porque ele acreditava que suas palavras tinham poder? "As minhas palavras têm poder porque há cinquenta e cinco anos, 365 dias por ano, passo uma hora na presença de Deus".

Ouvindo aquela fita cassete cheia de chiados, Dick se viu debaixo de intensa convicção de culpa. Quando compartilhou essa história comigo, transcorridos mais de quarenta anos, havia lágrimas em seus olhos.

— Mark — disse ele —, eu não poderia afirmar a mesma coisa nem em relação a sete dias!

Algo deu um estalo no espírito de Dick naquele dia. Ele tomou a decisão determinante de passar uma hora por dia, todos os dias, na presença de Deus. Hoje, Dick vem praticando esse ritual diário há quase tanto tempo quanto o arcebispo naquela época.

A maior parte de seu ministério, Dick Eastman serviu como presidente internacional da Every Home for Christ, organização que já levou cerca de 191 milhões de pessoas a decidir pela fé e iniciou mais de 324 mil células locais chamadas Christ Groups. Você acha mesmo necessário perguntar por quê? Seria algum segredo como isso se deu? E Deus quer fazê-lo de novo por seu intermédio.

> Encontrar um lugar de sussurro requer tempo e paciência, esforço e intencionalidade.

Encontrar um lugar de sussurro requer tempo e paciência.

Encontrar um lugar de sussurro requer esforço e intencionalidade.

Dito isso, não somos sempre aqueles que decidem quando ou onde ou como acontece. Às vezes, encontramos lugares de sussurro, mas outras vezes os lugares de sussurro nos encontram.

Às vezes, isso se dá por causa de uma crise que nos põe de joelhos, como Paulo e Silas ao serem lançados na prisão.[39] Pela minha experiência, lugares associados a grandes dificuldades com frequência se transformam em lugares de sussurro. Tenho ouvido Deus falar em locais bem exóticos, incluindo o Grand Canyon e os Andes, mas não com a mesma clareza com que o ouvi depois de recuperar a consciência na unidade de terapia intensiva do Washington Hospital Center ao final de dois dias em um respirador. Aquele quarto de hospital foi um lugar de sussurro nas primeiras horas da manhã.

Às vezes, é uma celebração, como o rei Davi dançando perante o Senhor ao levar a arca de volta para Jerusalém.[40] Quando foi a última vez que você perdeu por completo a inibição e adorou a Deus com toda a sua força, como fez Davi?

Um momento determinante

Poucos anos atrás, depois de tomar a decisão de dedicar uma hora por dia a Deus, Dick Eastman se sentiu levado a passar um dia inteiro sem fazer nada, a não ser adorá-lo. Não sabia muito bem como fazer isso, mas resolveu experimentar de qualquer forma durante uma viagem a Washington, DC, porque tinha um dia sem compromissos agendados.

Começou adorando a Deus em seu quarto de hotel assim que acordou. Continuou adorando enquanto fazia o *check-out* e tomava café. Em seguida, decidiu procurar um parque fora das vias que circundam a cidade, onde pudesse dar uma longa caminhada por um bosque e adorar sem distrações. Acabou chegando a uma clareira em uma pequena mata e sentiu o desejo de adorar

---

[39] V. Atos 16.16-40.
[40] V. 2Samuel 6.14,15.

a Deus como nunca fizera. Lera sobre Davi dançando diante do Senhor, mas admitiu:

— Mark, fui criado em uma igreja em que não se dança! Não sabia dançar, não sabia como agir, mas mesmo assim senti que devia experimentar.

Depois de confirmar duas vezes que não havia ninguém olhando, Dick começou a dançar no meio da clareira. Sua dança era tão ruim que ele chegou a rir de si mesmo. Quando terminou, perguntou-se como seria possível que aquilo tivesse sido agradável ao Senhor. Disse então, muito humildemente: "Senhor, estava bom?". Ao que o Senhor respondeu em um sussurro: "Você não faz ideia de toda a alegria que me trouxe!".

Vivo segundo uma máxima de Oswald Chambers: "Deixe que Deus seja tão original com as outras pessoas como ele é com você".[41] Portanto, não estou sugerindo que você trate de encontrar a clareira mais próxima em uma pequena mata e saia dançando perante o Senhor. Na verdade, a minha família foi jantar em um restaurante na noite em que compartilhei essa história em um sermão, e por um motivo qualquer dei uns passos de dança. O meu filho mais novo, Josiah, foi preciso:

— Pai, isso aqui não é uma clareira na mata!

Não saia por aí repetindo o que fez Dick Eastman ou algum outro herói espiritual seu. Isso é pretexto para não cumprir um dever espiritual. A imitação de espiritualidade tem vida curta. Aprenda a ouvir a voz de Deus e então faça o que ele diz. Isso pode significar

> Se deseja que Deus faça algo novo, você não pode continuar repetindo as mesmas coisas de sempre.

---

[41] CHAMBERS, **My Utmost for His Highest**, June 13.

fazer algo diferente. Ou continuar exatamente o que você já está fazendo, mas com uma atitude diferente. De um jeito ou de outro, pare de pôr Deus dentro da sua caixa.

Tenho uma pequena fórmula que já compartilhei em outros livros, por isso não vou analisá-la por completo aqui. Mas vale a pena repetir: mudança de compasso + mudança de lugar = mudança de perspectiva. Às vezes, uma pequena mudança de cenário faz muito para nos ajudar a ouvir Deus de novas maneiras. O mesmo acontece com fazer algo que você nunca tinha experimentado.

Se deseja que Deus faça algo novo, você não pode continuar repetindo as mesmas coisas de sempre. Precisa ousar ser diferente, e isso inclui ouvir de uma nova maneira. O aprendizado das sete linguagens do amor de Deus é isso.

Que comecem os jogos!

Parte dois

AS SETE LINGUAGENS DO AMOR

4

Linguagem de sinais

[...] Deus falou muitas vezes e de várias maneiras [...].
— Hebreus 1.1 — 2 parte

Em 10 de agosto de 1874, com 27 anos de idade, Alexander Graham Bell se sentou em cima de um cobertor junto a um despenhadeiro com vista para o rio Grand em Ontario, Canadá. Ele o chamava de seu lugar para sonhar. Passara a manhã mexendo em um fonautógrafo, equipamento que imitava a ação do ouvido humano. Sua paixão era a educação de surdos, mas, em um golpe de gênio, começou a se questionar se as correntes elétricas podiam ser utilizadas para simular ondas sonoras e transmitir vozes eletronicamente.[1]

"Está chegando o dia", escreveu Bell em carta para o pai, "em que os fios telegráficos serão instalados nas residências, como a água ou o gás — e os amigos conversarão uns com os outros sem sair de casa".[2]

Uma visão audaciosa para um mundo novo e magnífico.

---

[1] GRAY, Charlotte. **Reluctant Genius:** The Passionate Life and Inventive Mind of Alexander Graham Bell. New York: HarperCollins, 2006. p. 73.
[2] Ibid., p. 124.

Na noite de 10 de março de 1876, Bell e seu assistente, Thomas Watson, ficaram até tarde tentando aperfeiçoar a limpidez de sua transmissão sonora. Foi quando Watson ouviu as palavras imortais: "Sr. Watson, venha até aqui — quero vê-lo". A ironia estava na urgência com que Bell as proferiu. Acabara de deixar cair ácido de bateria sobre si, de modo que essa também pode ser considerada a primeira ligação para o 190![3]

Mais adiante naquele mesmo ano, a cidade de Filadélfia hospedou a Feira Mundial. Entre os 22.742 objetos expostos, havia máquinas de costura, alimentos enlatados, bananas e refrigerante. A exposição foi inaugurada com um discurso do presidente Ulysses S. Grant, que convidara um visitante distinto, D. Pedro II, imperador do Brasil. Duas semanas antes, *por acaso* o imperador visitara a cidade de Boston, onde *por acaso* se encontrara com Alexander Graham Bell. Esse único encontro se provaria bastante providencial.

Estava programado para 25 de junho daquele ano que o comitê de premiação dedicado à área da eletricidade julgasse os participantes da Feira que concorriam nessa categoria. O juiz convidado? Ninguém menos que D. Pedro II. O sol abrasador quase cancelou a competição, mas foi quando o imperador avistou Bell. A comitiva de juízes, alguns dos quais usava apenas a camiseta de baixo, quis abandonar a disputa, mas D. Pedro II insistiu em que se examinasse o trabalho de Bell. O imperador colocou o receptor do telefone no ouvido enquanto Bell falava no bocal a certa distância. A expressão em

---

[3] The 20 Most Influential Americans of All Time, **Time**, July 24, 2012. Disponível em: <http://newsfeed.time.com/2012/07/25/the-20-most-influential-americans-of-all-time/slide/alexander-g-bell/>. Acesso em: 18 jan. 2018, 17:39:11.

seu rosto era de puro assombro quando D. Pedro II exclamou: "Essa coisa fala!".[4]

O dr. Joseph Henry, primeiro secretário do Instituto Smithsonian e um dos juízes do evento, chamou a invenção de "a maior maravilha realizada até aqui pelo telégrafo".[5] O *New York Herald* chamou-a de "quase sobrenatural".[6]

Desnecessário dizer que Bell ganhou a medalha de ouro por equipamento elétrico. E o resto é história, graças a D. Pedro II, imperador do Brasil.

De várias maneiras

Se existe eufemismo bíblico, um bom concorrente nessa categoria é "Deus falou muitas vezes e de várias maneiras aos nossos antepassados" (Hebreus 1.1). A capacidade que Deus tem de falar de maneiras estranhas e misteriosas é nada menos que impressionante. Ele falou a Moisés por meio da sarça ardente. Falou ao faraó por meio de dez sinais e maravilhas. Falou a Ezequias por meio de uma enfermidade. Falou aos astrólogos babilônicos por estrelas. Falou a Belsazar usando uma mão sem corpo que escreveu "MENE, MENE, TEQUEL, PARSIM" (Daniel 5.25) na parede do palácio. E o meu exemplo favorito: falou a Balaão por intermédio de uma jumenta!

> Deus pode falar por meio de qualquer coisa!

Aposto como a expressão no rosto de Balaão era mais ou menos como a do rosto de D. Pedro II. E não me surpreenderia se Balaão também exclamasse: "Essa coisa fala!". Qual é

---

[4] GRAY. **Reluctant Genius**, p. 137-138.
[5] Ibid., p. 138.
[6] Ibid., p. 159.

a implicação? Se Deus pode falar por meio da jumenta de Balaão,[7] ele pode falar por meio de qualquer coisa!

Quero ser bem transparente acerca de um detalhe. Depois de destacar as diversas maneiras pelas quais Deus fala, o escritor de Hebreus foca a maior revelação divina: Jesus Cristo. Ele é a plena e definitiva revelação de Deus. É o Filho do homem e o Filho de Deus. O Criador de todas as coisas e herdeiro de todas elas. É "o caminho, a verdade e a vida " (João 14.6). E em seu nome, todo joelho se dobrará e toda língua confessará.[8]

Deus ainda fala "de várias maneiras"? Creio que sim. Creio que ele fala das mesmas maneiras hoje que falava antigamente, mas agora temos a nítida vantagem de contar com as Escrituras como a nossa caixa de ressonância.

Crer que Deus fala *só* pela Bíblia é algemar o Deus da Bíblia conforme a Bíblia o tem revelado a nós. Sim, as Escrituras fornecem os nossos pesos e contrapesos. E Deus jamais dirá nada contrário à sua boa, perfeita e agradável vontade, como revelada nas Escrituras. Mas ele também fala de várias maneiras, e examinaremos sete dessas linguagens nas páginas que seguem.

Oito tipos de inteligência

Mais de três décadas atrás, um professor de Harvard chamado dr. Howard Gardner escreveu um livro revolucionário intitulado *Frames of Mind* [Estruturas da mente]. O dr. Gardner popularizou a teoria das inteligências múltiplas. Em poucas palavras, pessoas diferentes são inteligentes de diferentes maneiras. As categorias originais estabelecidas pelo autor tinham oito tipos de inteligência: linguística, lógico-matemática,

---

[7] V. Números 22.
[8] V. Filipenses 2.10,11.

visual-espacial, corporal-cinestésica, musical, interpessoal, intrapessoal e naturalista.[9]

Vou dar só alguns exemplos.

Quando Wolfgang Amadeus Mozart era criança, visitou a Capela Sistina em Roma, onde ficou encantado com uma composição musical de autoria de Gregorio Allegri. Mozart pediu uma cópia da partitura, mas a Capela Sistina decretara que o *Miserere* somente podia ser executado dentro de suas paredes, inexistindo a possibilidade de ser copiado em nenhuma circunstância. Mozart compareceu a mais uma apresentação da música e então usou sua memória fonográfica para transcrever a partitura inteira de cabeça! Não faço ideia se ele tinha a inteligência corporal-cinestésica ou a lógico-matemática, mas definitivamente tinha inteligência musical.[10]

Cem anos antes da invenção das calculadoras, Johann Martin Zacharias Dase calculou o número *pi* correto com 200 casas decimais em menos de dois meses. Era capaz de multiplicar dois números de 8 dígitos em 44 segundos, 2 números de 40 dígitos em 40 minutos e 2 números de 100 dígitos em 8 horas e 3 quartos. Dase conseguia realizar cálculos durante semanas sem parar. Interrompia-os na hora de dormir, guardava tudo na memória e retomava na manhã seguinte do local exato em que parara. Era capaz até de contar o número de ovelhas em um rebanho após uma única olhada de relance! Não faço ideia se Dase tinha inteligência musical ou interpessoal, mas é seguro dizer que tinha a inteligência lógico-matemática.[11]

---

[9] GARDNER, Howard. **Estruturas da mente:** a teoria das inteligências múltiplas. Porto Alegre: Artmed, 1994.
[10] ARMSTRONG, Thomas. **7 tipos de inteligência**. Rio de Janeiro: Record, 2003.
[11] Zacharias Dase, **Wikipedia**. Disponível em: <https://en.wikipedia.org/wiki/Zacharias_Dase>. Acesso em: 19 jan. 2018, 19:29:10.

Quando criança, Bart Conner demonstrou um talento incomum: era capaz de andar sobre as mãos quase tão bem como com os pés. Executava o número que se tornou sua marca registrada em festas com bastante frequência. Chegou a ponto de descobrir como subir e descer escadas com as mãos! Andar sobre as mãos não é exatamente uma habilidade comercializável, a menos, claro, que você seja um ginasta. Não faço ideia se o ginasta norte-americano mais premiado tem inteligência visual-espacial ou naturalista, mas com certeza tem inteligência corporal-cinestésica.[12]

Somos inteligentes de diferentes modos, e esse é um testemunho do Deus que nos criou. Também nos relacionamos com Deus de maneiras diferentes, o que é um testemunho do Deus que é grande o suficiente para ser ouvido por todos e qualquer um, em toda e qualquer parte. Examinaremos o modo pelo qual a espiritualidade se infiltra na personalidade quando chegarmos à linguagem dos desejos,

> Deus fala por meio de diferentes linguagens.

mas pessoas racionais e pessoas emotivas se relacionam com Deus de maneira diferente. O mesmo acontece com introvertidos e extrovertidos. E isso vale para todos os 16 tipos de personalidades da matriz Myers-Briggs, todos os 9 tipos do eneagrama e todos os 4 perfis da ferramenta de avaliação pessoal DISC.

O que isso tem a ver com ouvir a voz de Deus? Primeiro, todos o ouvimos de maneira um pouco diferente.

Isso é motivo de humildade, antes de mais nada. Somos capazes de reconhecer uma medida de subjetividade baseada em personalidade e preconceito? E, já que chegamos até aqui, podemos

---

[12] ROBINSON, Ken. **The Element**: How Finding Your Passion Changes Everything. New York: Penguin Books, 2009. p. 34.

admitir suposições erradas e motivações falsas? Em geral, ouvimos o que *queremos* ouvir e desconsideramos tudo mais. Mas lembra-se do nosso pacote promocional? Se não ouvirmos *tudo* que Deus tem para dizer, acabaremos não ouvindo *nada* do que ele quer falar. E provavelmente precisamos ouvir *mais* o que *menos* queremos ouvir. De uma coisa, no entanto, sei com certeza: o tom de voz divino é sempre amoroso. Às vezes, por causa de um amor durão por ter de se manifestar em forma de repreensão ou disciplina, mas amoroso do mesmo jeito. Na verdade, ainda mais amoroso![13]

Segundo, Deus fala por meio de diferentes linguagens.

Ele fala a personalidades diferentes de maneiras diferentes. A maneira pela qual Jesus se relacionava com seus discípulos era tão diversa quanto Pedro, Tiago e João. Deus é grande o suficiente para falar em tantas linguagens quantas forem as pessoas. Nesta seção, focaremos as sete linguagens do amor. Começaremos pelas Escrituras, a Palavra primeira e definitiva. Em seguida, examinaremos seis linguagens secundárias: dos desejos, das portas, dos sonhos, das pessoas, das sugestões e da dor.

Mensagens silenciosas

Com 19 meses de idade, Helen Keller perdeu a visão e a audição depois de contrair meningite. Por não poder ouvir, também perdeu a capacidade de falar. Isso a deixou cega, surda e muda. Dos três, Keller considerava a surdez a maior incapacidade. "Os problemas de surdez são mais profundos e mais complexos", explicou ela. "Pois significam a perda da maior parte dos estímulos vitais — o som da voz que transmite a linguagem fomenta pensamentos e nos mantém na companhia intelectual de outros homens."[14]

---

[13] V. Hebreus 12.5-11.
[14] ACKERMAN, Diane. **Uma história natural dos sentidos**. Rio de Janeiro: Bertrand Brasil, 1992.

Helen Keller ficou famosa por dizer: "A única coisa pior que a cegueira é ter vista, mas não enxergar". Talvez se pudesse dizer o mesmo daqueles que têm ouvidos, mas que na verdade não escutam.

Helen Keller poderia ter desistido da vida, em completo isolamento do mundo exterior. Em vez disso, aprendeu a ouvir de um jeito diferente. Aprendeu a "escutar" música encostando as mãos em cima do rádio. Seu tato se tornou tão sensível que ela era capaz de ouvir a diferença entre instrumentos de sopro e de cordas com as pontas dos dedos.[15] Também aprendeu a escutar sentindo os lábios, o rosto e a laringe das pessoas, incluindo os lábios da segunda maior influência em sua vida depois de Anne Sullivan: Alexander Graham Bell.

> Deus também fala pela linguagem corporal: por seu corpo, pela igreja.

Não ouvimos só com os ouvidos.

Ouvimos com os olhos, com o coração.

Assim discernimos sugestões, pessoas e dor.

Não lemos apenas as Escrituras.

Lemos desejos, portas e sonhos.

Aqui está um modo útil de pensar nessas seis linguagens secundárias.

Em 1971, o psicólogo Albert Mehrabian publicou *Silent Messages* [Mensagens silenciosas], que continha sua pesquisa pioneira em comunicação não verbal. No quesito credibilidade, Mehrabian descobriu que atribuímos 55% do peso à linguagem corporal, 38% ao tom e 7% às palavras em si.[16]

---

[15] Ibid., p. xviii.
[16] YAFFE, Philip. The 7% Rule: Fact, Fiction, or Misunderstanding, **Ubiquity** 2011 (October 2011). Disponível em: <http://ubiquity.acm.org/article.cfm?id=2043156>. Acesso em: 19 jan. 2018, 19:37:41.

As Escrituras são compostas de palavras, que com certeza representam mais de 7% da revelação de Deus. "Toda a Escritura é inspirada por Deus e útil para o ensino, para a repreensão, para a correção e para a instrução na justiça." (2Timóteo 3.16) Acontece que Deus também fala pela linguagem corporal: por seu corpo, pela igreja. Chamo-a de linguagem das pessoas. E Deus fala por meio de diferentes tons de voz, incluindo a linguagem dos desejos e a linguagem da dor. Todavia, quando a questão é a interpretação da linguagem corporal e do tom de voz, necessitamos desesperadamente do dom de discernimento.

É preciso discernimento para localizar portas fechadas e portas abertas.

É preciso discernimento para reconhecer os sonhos dados por Deus.

É preciso discernimento para saber quais desejos provêm de Deus.

É preciso discernimento para obedecer às sugestões de Deus.

É preciso discernimento para dar perspectiva à dor.

É preciso discernimento para ler as pessoas.

> A pessoa sem o Espírito não aceita as coisas que vêm do Espírito de Deus, mas as considera tolice, e não consegue entendê-las, pois só são discernidas pelo Espírito.[17]

Em inglês, a palavra traduzida por "discernir" vem do grego *epignosis*, que quer dizer "conhecimento adquirido por contato direto". É experiencial. Em outras palavras, tem menos a ver com a inteligência dos livros que com a inteligência das ruas. E passa por uma sintonia fina com o tempo. Mas você conhece a maneira mais rápida de aprender uma nova língua? Não é sentado

---

[17] Primeira aos Coríntios 2.14, tradução livre da *New International Version*. [N. do T.]

dentro de uma sala de aula ou lendo um livro; é pela imersão total. Você precisa se colocar no lugar em que a nova língua é tudo que consegue ouvir, só o que pode falar.

O mesmo vale para essas sete linguagens. Você tem de pular no lado mais fundo e começar a nadar.

Verificação cruzada

A nossa congregação em Capitol Hill está localizada a poucas quadras da Universidade Gallaudet, a primeira instituição de ensino no mundo de pós-graduação para surdos. Dada a nossa proximidade, vários membros da comunidade de surdos frequentam a NCC desde o primeiro dia. E aprendi a valorizar os nossos intérpretes, que pregam a minha mensagem usando a comunicação manual enquanto eu uso a verbal.

Deus pode falar de maneira audível? Com certeza absoluta! Na maior parte das vezes, contudo, ele fala pela "linguagem de sinais". Sei que isso deixa quem tenta viver segundo a "letra da lei" um pouco incomodado, e entendo a razão. Os sinais podem ser subjetivos. Prefeririamos confiar na *sola Scriptura*. O problema com essa limitação é que Deus fala pela linguagem de sinais nas Escrituras. Esse é o nosso precedente. E faz parte do pacote de se ter uma vida guiada pelo Espírito.

> Se ignoramos os sinais que Deus nos envia, perdemos o milagre.

Se ignoramos os sinais que Deus nos envia, perdemos o milagre. Ou pior — como Pilatos, que ignorou o sinal que Deus deu à sua mulher em um sonho[18] —, inconscientemente passamos a ser cúmplices das maquinações de Satanás.

---

[18] V. Mateus 27.19.

A capacidade que Deus tem de falar por sinais é ilimitada. Pode ser de forma óbvia como uma sarça ardente, estranha como a jumenta de Balaão, ou sutil como um sussurro. Mas normalmente Deus fala por meio de encontros marcados por ele mesmo e no tempo divino. Chamo-os de sincronicidades sobrenaturais. Ainda que não seja fácil discernir entre coincidência e providência, ninguém me demove da convicção de que Deus adota a prática de posicionar-nos estrategicamente no lugar certo, na hora certa, com as pessoas certas. Aguardo suas promessas providenciais e nelas me baseio.

Deus está preparando boas coisas de antemão.[19]

Deus está determinando os nossos passos.[20]

Deus está agindo em todas as coisas para o bem daqueles que o amam.[21]

É tão fácil entender errado os sinais quanto interpretá-los; por isso, aqui vai um princípio básico: submeta a sua interpretação à verificação cruzada com as Escrituras. Conheço muita gente que justificou um comportamento pecaminoso como soberania de Deus por confundir tentação com oportunidade. Só porque o pecado bate na nossa porta, não significa que Deus está dando a você sinal verde. Não se trata de uma "oportunidade" se para isso você tiver de comprometer a sua integridade.

Se José, filho de Jacó, usasse essa lógica errônea, dormiria com a mulher de Potifar.[22] Claro, evitaria o encarceramento fundamentado em acusações falsas, mas duas nações seriam varridas da face da terra pela fome, pois José teria perdido seu encontro

---

[19] V. Efésios 2.10.
[20] V. Provérbios 16.9.
[21] V. Romanos 8.28.
[22] V. Gênesis 39.

marcado por Deus com um colega de prisão. Encontro esse que o levou a outro encontro marcado por Deus com o faraó. Aonde quero chegar? Ao fato de que a soberania de Deus está muito além da nossa alçada. Em vez de gastar toda a nossa energia tentando adivinhar o futuro, precisamos concentrar o foco fazendo a coisa certa bem aqui e agora.

Deus jamais nos levará a algo contrário à sua boa, perfeita e agradável vontade revelada nas Escrituras. Dito isso, as Escrituras não mostram a logística da coisa. Isso é trabalho do Espírito Santo. Elas não revelam se deveríamos ir *aqui ou ali*. Não detalham se deveríamos fazer *isso, aquilo ou outra coisa*. E, embora sua verdade seja atemporal, ela não mostra o *agora ou* o *mais tarde*. As Escrituras nos dão diretrizes, mas o Espírito Santo é o nosso guia.

Uma nova linguagem

Lembra-se do dr. Alfred Tomatis, o otorrinolaringologista que tratou do cantor de ópera incapaz de alcançar a nota que não conseguia ouvir? Ele encontrou um caso muito semelhante envolvendo cantores de ópera venezianos incapazes de pronunciar a letra *r* com a ponta da língua.[23] Sei dar valor a esse problema porque, mesmo depois de quatro anos estudando espanhol, eu era incapaz de pronunciar os erres. O que fazia a palavra espanhola *perro* soar muito sem graça!

O problema era particularmente incômodo para os cantores de ópera venezianos porque os libretos italianos são cheios do fonema *r*. Em vez de pronunciar o som do *r*, eles o substituíam por *l*, que soa tão tolo quanto o meu *espanglês*. Por que não conseguiam cantar o som de *r*? Porque esse som não fazia parte do

---

[23] TOMATIS, Alfred A. **The Conscious Ear:** My Life of Transformation Through Listening. Barrytown, NY: Station Hill, 1991. p. 70.

dialeto vêneto. Não conseguiam reproduzi-lo ao cantar por não estarem habituados a ouvi-lo.

Para remediar a situação, o dr. Tomatis fez o que qualquer professor competente faria: empregou a boa e antiquada repetição. Com prática e paciência, os cantores de ópera aprenderam a ouvir o *r*. E, a partir do momento em que o ouviram, foram capazes de cantá-lo.

Linguistas da tradição do filósofo Noam Chomsky veem a linguagem não só como um instinto antigo, mas como um "dom especial".[24] E eu concordo. Cães latem, vacas mugem e sabiás cantam. Mas a capacidade humana de adquirir uma língua falando e ouvindo é única entre a criação de Deus. Nesse sentido, acredito que essa seja uma dimensão da imagem de Deus. Portanto, crescer na semelhança com Deus é administrar melhor a língua, tanto em termos de audição quanto de elocução. Mas o ouvir vem primeiro. E poderia ser duas vezes mais importante, dado que Deus tem concedido a cada um de nós dois ouvidos e uma laringe.

As sete linguagens do amor são linguagens espirituais, mas são *linguagens*. O que nos faz pensar que são mais fáceis ou rápidas de aprender do que o inglês ou o árabe? Roma não foi feita em um dia, nem se aprende o italiano de uma hora para outra.

Os bebês têm de ouvir os pais repetirem sons milhares de vezes antes de conseguirem articular os mesmos sons. Precisam entre nove e doze meses para dizer a primeira palavra inteligível.

---

[24] Language Acquisiton — The Basic Components of Human Language, Methods for Studying Language Acquisiton, Phases in Language Development, **StateUniversity.com**. Disponível em: <http://education.stateuniversity.com/pages/2153/Language-Acquisition.html>. Acesso em: 20 jan. 2018, 17:45:42.

Na média, os bebês só contam com cinco palavras em seu vocabulário no primeiro ano de vida.²⁵ Mas é então que a explosão da linguagem começa. Por volta dos 6 anos, a criança média já acumulou 14 mil palavras!²⁶

Aprender uma nova língua pode ser um pouco frustrante a princípio e requer disposição para parecer um pouco tolo também. Mas, se você insistir em ouvir, a explosão da linguagem acabará por acontecer.

Não posso prometer que o processo será fácil, mas espero que você desfrute da jornada. A chave para aprender é o amor ao aprendizado. O mesmo vale em relação a ouvir a voz de Deus. Começa com o anseio por ouvir, o amor por ouvir.

> Ouvir quem ouve a Deus não substitui a necessidade de buscá-lo por si mesmo.

Em algum momento, a maioria das pessoas se contenta com uma espiritualidade indireta. Acontece que ouvir quem ouve a Deus não substitui a necessidade de buscá-lo por si mesmo. Passar a depender dos outros para ter inspiração se chama codependência espiritual.

Deus quer falar com *você*.

Sim, você!

Uma última exortação.

Dependendo da sua formação espiritual, algumas dessas sete linguagens parecerão línguas estrangeiras. Isso quer dizer que podem demorar um pouco mais para serem aprendidas. Mas costuma ser assim que as grandes descobertas são feitas.

---

[25] Language Acquisiton, **Encyclopedia.com**. Disponível em: <www.encyclopedia.com/literature-and-arts?language-linguistics-and-literary-terms/language-and-linguistics/language>. Acesso em: 20 jan. 2018, 17:58:47.

[26] Language Acquisition, **Encyclopedia.com**.

Cresci em uma igreja que não reconhecia a Quaresma. Na verdade, de alguma forma passei para o segundo ano do seminário sem ter nenhuma ideia do que era a Quarta-feira de Cinzas. E não descobri na sala de aula, mas participando da plateia no estúdio de *The Oprah Winfrey Show*! O produtor apareceu para um *briefing* com a plateia antes do início do programa, e eu me virei para Lora e sussurrei:

— Ele está com a testa suja.

Tive dificuldade para não rir alto porque não entrava na minha cabeça um produtor de TV incapaz de perceber a sujeira na própria testa. Vale aqui citar a banda de *rock* Queen: "Tem lama na sua cara, sua desgraça".[27] Pior que ele, na verdade, era o seminarista sem saber que estava na Quarta-feira de Cinzas.

Eu tinha mais de 30 anos quando comecei a observar a Quaresma de uma maneira significativa. Com o passar dos anos, ela se tornou um catalisador do meu ritmo espiritual anual, mas não fazia parte do meu dialeto de criação. Precisei adquirir o vocabulário correspondente, que se tornou um gosto adquirido.

Essa é a minha oração por você. Nas páginas que seguem, que você possa aprender a discernir a voz de Deus de novas maneiras.

Deus fala por intermédio de sua Palavra. Esse é o nosso ponto de partida. Ele nos sussurra por meio de portas, sonhos e desejos. Conversa conosco por meio de sugestões, da dor e de outras pessoas. Algumas dessas linguagens serão mais naturais do que outras, mas sou capaz de apostar que há meios de aumentar o seu vocabulário e torná-lo mais fluente em todas as sete linguagens.

---

[27] QUEEN, We Will Rock You, **News of the World**, copyright © 1977, Sony/ATV Music Publishing.

5

A chave das chaves

A primeira linguagem: Escrituras

Toda a Escritura é inspirada por Deus.
— 2Timóteo 3.16 — 2 parte

Em 14 de abril de 1755, o general Edward Braddock subiu o rio Potomac até Georgetown, pacata cidadezinha à margem do rio. O exército britânico permaneceu na cidade tempo suficiente para apanhar um novo recruta proveniente da Virgínia: George Washington, agricultor, com 23 anos de idade. Ele serviu como ajudante de campo de Braddock durante a desditosa batalha de Monongahela, e é um milagre que tenha sobrevivido. Dois cavalos montados por ele foram alvejados, e quatro balas de mosquete atravessaram seu casaco. Washington não ouviu só o assobio de balas passando por ele; ouviu também a voz mansa e delicada a lhe sussurrar. "A morte derrubava meus companheiros por todo lado", escreveu ele em uma carta para o irmão. "Mas, pelas dispensações da providência do Todo-poderoso, fui protegido."[1]

---

[1] Letter from George Washington to John Augustine Washington (July 18, 1755), **Encyclopedia Virginia**. Disponível em: <www.encyclopediavirginia.org/Letter_from_George_Washington_to_John_Augustine_Washington_July_18_1755#>. Acesso em: 21 jan. 2018, 14:12:57.

Retornemos ao lugar onde Braddock ancorou sua embarcação. Na cidade batizada em homenagem a Washington, logo depois do ponto em que a Avenida Constitution segue para a ponte Theodore Roosevelt, existe um poço de pedras sem maiores atrativos com um pequeno indicador de local histórico ao lado. Há uma tampa de bueiro em cima dele e uma escada em seu interior. A quase cinco metros da superfície encontra-se uma rocha: a rocha de Braddock. Ela assinala o lugar onde o general Braddock aportou, e esse é o marco histórico mais antigo da capital do país.

Diz a lenda que parte dessa rocha foi usada como pedra fundamental para a Casa Branca e o Capitólio. Mas seu verdadeiro significado é que ela serviu como ponto de partida para as primeiras plantas de levantamento de Washington, DC. Em mapas antigos, ela figura como a Chave das Chaves. Foi esse o nome dado à rocha de Braddock porque ela estabeleceu o sistema de coordenadas da cidade inteira. Cada meridiano principal e cada diretriz foram mensurados a partir desse ponto inicial.

Conscientes ou não disso, todos temos uma chave das chaves.

A epistemologia é o ramo da filosofia que se ocupa da natureza do conhecimento. Ela indaga: "Como sabemos o que sabemos?". E quer a construamos conscientemente, quer não, todos contamos com um ponto de partida epistemológico pelo qual examinamos toda a vida. Ele estabelece a nossa diretriz moral, delineando-se entre o certo e o errado. Para alguns, oscila tanto quanto o modismo mais recente. Para outros, é fixo como o método científico. Para mim, é comprovado e verdadeiro como a Bíblia. E não dou justificativas para isso. A Bíblia não é só o meu ponto de partida; ela é a autoridade máxima em se tratando de questões

> Deus nos chama para um padrão mais elevado que a tolerância.

de fé e doutrina. Acredito que seja a Palavra inspirada de Deus — a Verdade com *V* maiúsculo.

O desafio consiste em vivermos em uma cultura na qual a tolerância foi elevada a uma posição acima da verdade. Considera-se errado dizer que algo é errado, e creio que isso é um erro. Claro que quero ser conhecido mais por aquilo de que sou *a favor* do que pelo que sou *contra*. E a verdade não deveria ser usada como arma. Mas achar que todo mundo está certo e ninguém está errado é uma tolice tão grande quanto fingir que todo mundo ganha e ninguém perde. Ora, convenhamos, você sabe que até as crianças acompanham de perto a marcação do placar! E, mesmo que dê certo *não* marcar nada no placar durante uma temporada, isso não funciona no mundo real. Quando a verdade é sacrificada no altar da tolerância, pode parecer que todo mundo sai ganhando, mas, na realidade, todo mundo perde. Deus nos chama para um padrão mais elevado que a tolerância. Seu nome é verdade e sempre se faz acompanhar da graça.[2]

Graça quer dizer *eu o amarei, não importa o que aconteça*.

Verdade quer dizer *serei sincero com você, não importa o que aconteça*.

Esse é o meu meridiano principal.

Agora preciso voltar um pouquinho.

Bem precioso

Há vinte e cinco anos, acalento um vício iniciado com as 800 páginas de uma biografia de Albert Einstein que li na faculdade.[3] Apaixonei-me pelos livros e comecei a ler tudo e qualquer coisa

---

[2] V. João 1.14.
[3] CLARK, Ronald W. **Einstein:** The Life and Times. New York: Avon Books, 1971.

em que pusesse as mãos. Parte desse amor pela aprendizagem responde à exortação de Einstein contida nesse mesmo livro: "Nunca perca a curiosidade santa".[4] A outra parte é de responsabilidade da pura necessidade.

Quando comecei a pastorear a National Community Church, faltavam-me tanto experiência ministerial quanto de vida. O meu currículo no ministério incluía um estágio de verão e a implantação fracassada de uma igreja. Mais nada. A minha experiência de vida somava apenas 25 viagens ao redor do Sol em uma existência bastante protegida. Precisava tomar emprestada toda experiência que pudesse e fiz isso por meio dos livros.

Mais ou menos nessa época, ouvi falar que na média os escritores investem cerca de dois anos de experiência de vida em cada livro que escrevem, de modo que me imaginei adquirindo dois anos de experiência de vida a cada livro lido. Com 20 e poucos anos, eu lia em média mais de 200 livros por ano, equivalentes à aquisição de quatrocentos anos de experiência de vida ao ano! Li pelo menos 3.500 livros até hoje, ou seja, tenho no mínimo 7 mil anos em anos-livro!

> Não importa quantas vezes leiamos a Bíblia, ela nunca envelhece.

Resumindo, amo os livros. Mas um deles ocupa categoria exclusiva: a Bíblia. Pelo menos duas coisas tornam a Bíblia absolutamente única. Primeiro, ela é "viva e ativa".[5] Não a lemos apenas; ela nos lê. O Espírito que inspirou escritores da Antiguidade à medida que escreviam é o mesmo que inspira os leitores modernos à medida que a estudam. O Espírito Santo está dos dois lados da

---

[4] Ibid., p. 755.
[5] Hebreus 4.12, tradução livre da *English Standard Version*.

equação. Ao descrevê-las, o apóstolo Paulo disse que as Escrituras foram "sopradas por Deus".[6] Ao lermos as Escrituras, inalamos o que o Espírito Santo exalou milhares de anos atrás. Ouvimos o sussurro divino ao som de uma respiração.

Segundo, nunca esgotamos a Bíblia. De acordo com a tradição rabínica, cada palavra das Escrituras tem 30 aspectos e 600 mil significados.[7] Em outras palavras, formam um caleidoscópio. Não importa quantas vezes leiamos a Bíblia, ela nunca envelhece, uma vez que é atemporal e oportuna.

A Bíblia foi composta por mais de 40 escritores ao longo de 15 séculos, em três línguas e três continentes. Esses autores vão de agricultores, pescadores e reis a poetas, profetas e prisioneiros de guerra. Ela trata de quase todos os assuntos existentes debaixo do Sol: lei e história, poesia e profecia, cosmologia e teologia. No entanto, embora toque em centenas de temas controversos, não se contradiz.[8] Na verdade, pode-se ler a Bíblia como um só livro do começo ao fim. E isso porque tem um autor, o Espírito de Deus.

Subestimamos a Bíblia, e acho que isso acontece por podermos encontrá-la em dezenas de traduções diferentes, de todos os tipos e cores de capa que quisermos. Não nos esqueçamos, contudo, de que os antigos escribas dedicavam a vida inteira para fazer *uma cópia* do texto sagrado, e que pessoas como John

---

[6] 2Timóteo 3.16, tradução livre da *New International Version*.
[7] KUSHNER, Lawrence. **Eyes Remade for Wonder**. Woodstock, VT: Jewish Lights, 1998. p. 50.
[8] Reconheço que essa é uma afirmação discutível. Há aparentes contradições nas Escrituras, mas, na minha opinião, elas são solucionáveis em uma ampla variedade de maneiras. Este livro não me dá a oportunidade de apresentar uma apologética detalhada, mas espero que os leitores céticos continuem lendo, mesmo que discordem de mim.

Wycliffe e William Tyndale deram a própria vida para nos oferecer suas traduções.

O meu bem terreno mais precioso é uma Bíblia esfarrapada pelo tempo que pertenceu ao meu avô Elmer Johnson. As páginas da terceira edição revisada da *Bíblia de referência Thompson*, de 1934, estão gastas pelo uso, tanto que o meu avô precisou colá-las com fita adesiva. Amo ler os versículos que ele sublinhou e as notas que rabiscou nas margens. Pode parecer uma coisa mística, mas aquela Bíblia me conecta com o meu avô de um jeito inexprimível em palavras. E sua Bíblia bastante usada é o testamento de uma vida bem vivida. Lembra-me de algo que Charles Spurgeon disse: "Se a Bíblia está caindo aos pedaços, em geral seu dono não está".[9]

Bibliolatria

Ler a Bíblia de capa a capa é uma prática espiritual insuperável, e não há melhor maneira de aprender a discernir a voz de Deus. O teólogo J. I. Packer chegou a dizer: "Todo cristão digno desse nome deveria ler a Bíblia de capa a capa todo ano".[10] A maioria de nós deixa a desejar nesse aspecto, mas é difícil argumentar contra essa afirmação, certo? No entanto, o objetivo não é vencer a Bíblia; o objetivo é fazer que a Bíblia nos vença.

Existe uma forma muito sutil de idolatria chamada bibliolatria. Implica tratar a Bíblia como um fim em si mesmo, não como

---

[9] Charles Haddon Spurgeon, **Goodreads**. Disponível em: <www.goodreads.com/quotes/397346-a-bible-that-s-falling-apart-usually-belongs-to-someone-who?page=3>. Acesso em: 22 jan. 2018, 12:32:55.

[10] PACKER, J. I., in: Time with God: An Interview with J. I. Packer, **Knowing & Doing**. C. S. Lewis Institute, September 26, 2008. Disponível em: <www.cslewisinstitute.org/webfm_send/351>. Acesso em: 22 jan. 2018, 19:38:34.

um meio para determinado fim. O objetivo de conhecê-la não é apenas o conhecimento bíblico. Afinal, "o conhecimento traz orgulho" (1Coríntios 8.1). O objetivo é aprender a reconhecer a voz do seu Pai celestial e a responder a ele de modo que cresçamos em intimidade com ele.

Mas não se engane, a Bíblia pode ser objeto de mau uso e de abuso. Não precisa ir muito longe, basta ver o próprio Diabo, que quis usar as Escrituras para tentar Jesus: "[...] 'Se és o Filho de Deus, manda esta pedra transformar-se em pão'" (Lucas 4.3). Foi um golpe baixo, considerando que Jesus estava de jejum havia quarenta dias. Mas fazemos a mesma coisa quando usamos a verdade para intimidar os outros. Sim, a Bíblia é a nossa espada. É a nossa melhor ofensiva, a nossa melhor defesa. Mas abusamos dela quando interpretamos erroneamente a verdade. Lembra-se da resposta de Jesus? Ele manejou bem a Palavra: "[...] nem só de pão viverá o homem [...]" (Deuteronômio 8.3).

> Se manipularmos a Palavra de Deus em vez de a manejarmos, dividiremos o Corpo de Cristo.

Precisamos atentar para a exortação de Paulo: "Procure apresentar-se a Deus aprovado, como obreiro que não tem do que se envergonhar e que maneja corretamente a palavra da verdade" (2Timóteo 2.15). Se manipularmos a Palavra de Deus em vez de a manejarmos, dividiremos o Corpo de Cristo. E isso é o oposto de santidade, que quer dizer "integridade".

Tenho uma pequena fórmula que compartilho com bastante frequência: Espírito Santo + cafeína = maravilha. Como pastor de uma igreja dona de um café, não estou brincando. E o meu escritório fica exatamente acima do café! Eis uma equação mais séria, no entanto: Escrituras Sagradas – Espírito Santo

= bibliolatria. Quando tiramos o Espírito da equação, resta-nos a letra da lei. E a letra da lei não vivifica. Você acaba tendo em mãos a prática da lei como faziam os fariseus e uma religião sem vida chamada legalismo.

Uma das funções do Espírito Santo consiste em vivificar, e é essa a diferença entre informação e transformação. Por irônico que pareça, *vivificar* é a mesma palavra usada para descrever a ressurreição física.[11] De igual modo, o Espírito Santo desfibrila o nosso espírito com sua Palavra a fim de experimentarmos uma pequena ressurreição toda vez que lemos a Palavra de Deus.

Ele ressuscita sonhos.

Revigora a fé, a esperança e o amor.

Cumpre promessas das quais já desistimos.

A propriedade transitória

Na manhã de 16 de agosto de 1996, eu lera apenas três versículos do livro de Josué quando Deus deu vida a uma promessa que saltou da página e penetrou o meu espírito:

> "Como prometi a Moisés, todo lugar onde puserem os pés eu darei a vocês" (Josué 1.3).

Quando li essa promessa, senti-me estimulado a orar enquanto descrevia o perímetro de Capitol Hill, o lugar que Deus nos chamara para pastorear. Imediatamente embarquei na caminhada de oração de 7,5 quilômetros que detalho em *A força da oração perseverante*. Em momento algum durante a oração, eu pensei que seríamos proprietários de uma única propriedade, nem era essa a intenção original. Mas Deus tem razões que costumam ir além da razão humana. Duas décadas depois, somos donos de uma

---

[11] V. Romanos 8.11, *Almeida Revista e Corrigida*.

dúzia de propriedades, avaliadas em mais de 50 milhões de dólares, dentro do círculo daquela oração. Coincidência? Não creio.

Uma dessas propriedades miraculosas é um castelo de 125 anos localizado dentro da cidade e adquirido por 29 milhões de dólares. Há vinte anos, eu nem sabia o que era tanto dinheiro. Continuo não sabendo. Mas não é coincidência que tenhamos assinado o contrato do castelo dezoito anos *exatos* depois do dia em que orei descrevendo um círculo. O que quero dizer com isso? Cada uma das nossas propriedades já foi um sussurro. A intervenção do Espírito resultou um valor líquido de pelo menos 50 milhões, que continua a gerar dividendos.

Sei que alguns argumentariam que a promessa foi direcionada para Josué, não para mim. Creia-me, não acredito em tirar promessas de Deus da cartola feito um coelho, reivindicá-las fora de contexto. Mas permita-me discordar em uma questão. A promessa não era nem para Josué, para começo de conversa; ela era para Moisés. De modo que há um caráter transitório em ação aqui. Como Deus transferiu a promessa de Moisés para Josué, também a transferiu de Josué para mim. Se pareço estar "forçando a barra", lembre-se do que diz 2Coríntios 1.20: "pois quantas forem as promessas feitas por Deus, tantas têm em Cristo o 'sim' ". Se você está em Cristo, todas as promessas de Deus são suas. Cada uma delas traz o seu nome escrito em cima, e o Espírito vivificará diferentes promessas em diferentes ocasiões. Trata-se de uma das maneiras pelas quais Deus sussurra.

> Se você está em Cristo, todas as promessas de Deus são suas.

Quando Cristo voltar, o Espírito de Deus vivificará o nosso corpo terreno. Corpos sepultados a sete palmos de profundidade serão desenterrados, e os que foram cremados readquirirão matéria.

Mas ele vivifica em mais de um sentido. Às vezes, acontece por um pensamento disparado entre as nossas sinapses. Às vezes, por uma sugestão para nos disponibilizarmos, interferirmos ou afastarmos em fé. Às vezes, dizendo a palavra certa, na hora certa. E às vezes por um versículo das Escrituras que salta da página e penetra o nosso espírito.

O salmista disse: "[...] vivifica-me segundo a tua palavra" (119.25, *Almeida Revista e Corrigida*). O verbo *quicken*, *vivificar*, é repetido nada menos que 11 vezes na Versão *King James* em inglês do salmo 119. Quando a Bíblia diz algo mais de uma vez, devemos ouvir no mínimo duas vezes.

Talvez pareça um pouco grotesco, mas quero pintar um quadro de que provavelmente você não se esquecerá. Há pouco tempo eu estava navegando pelos canais da TV quando deparei com a reprise de *Missão Impossível III*, estrelado por Tom Cruise no papel do agente Ethan Hunt da força-tarefa Missão Impossível. Sintonizei o canal do filme bem na hora em que um microexplosivo era introduzido em seu nariz e implantado no cérebro. Sinto muito, essa é a parte grotesca. E o exemplo é grosseiro. Mas a vivificação do Espírito Santo é como uma bomba de verdade implantada na mente, no coração e no espírito. Quando você esconde a Palavra no seu coração, nunca sabe quando o Espírito de Deus a fará ser detonada. E isso é uma coisa boa!

Aqui está como funciona para mim. Em geral, abro a Bíblia onde quer que tenha parado no meu plano de leitura. Começo a ler e sigo em frente até deparar com um versículo que me dá motivo para uma pausa. Às vezes, acho o texto confuso, de modo que faço alguma pesquisa adicional. Outras vezes, concluo que o texto está me convencendo de algum pecado, o que me leva a uma confissão. E outras vezes o texto provoca uma sugestão do Espírito pela qual eu oro.

Uma pequena palavra de cautela nesse ponto. Algumas pessoas empregam uma abordagem da Bíblia que consiste em abri-la em uma página qualquer e apontar o dedo aleatoriamente, de preferência com os olhos fechados. É como o sujeito que, à procura de inspiração, abre a Bíblia e depara com o versículo que diz: "[...] Judas [...] foi e enforcou-se" (Mateus 27.5). Sem o considerar muito inspirado, tenta de novo. O versículo seguinte em que abre diz: "[...] 'Vá e faça o mesmo' " (Lucas 10.37).

Eu recomendaria com veemência uma abordagem mais metódica da Bíblia. Por que não baixar um plano de leitura do aplicativo YouVersion no seu celular e acompanhá-lo do começo ao fim? Eu o aconselharia inclusive a usar uma tradução nova a cada período, de modo que se mantenha o frescor da Palavra. De um jeito ou de outro, mergulhe na Palavra de Deus a fim de que ela penetre em você. Então o Espírito Santo poderá vivificá-la quando, onde e como ele bem entender.

Mais profundo que o córtex

Com 28 anos apenas, Denny McNabb sofreu um infarto. Ressuscitaram-no, mas dez minutos sem oxigênio lhe causaram danos cerebrais irreversíveis. O diretor associado da Campus Life na região centro-leste de Illinois perdeu a memória e, com ela, sua história e personalidade. Denny saiu do coma trinta dias depois, mas não era capaz de reconhecer sua família ou seus amigos. Repetia a mesma pergunta sem parar. E seu cérebro se tornou como Teflon; parecia que nada aderia a ele.

O meu amigo e pai espiritual, Dick Foth, tinha uma reunião marcada com Denny no dia do ataque cardíaco. A reunião se converteu em meses de visitas hospitalares e algumas perguntas angustiantes. A principal delas: como Deus permitira que uma coisa dessa acontecesse? Um dia, Dick deu vazão ao sentimento de frustração em um elevador do hospital, quase quebrando a mão. Foi quando ele ouviu o sussurro suave de Deus: *Dick, sei lidar com qualquer pergunta que você me faça. O problema é que você não tem um marco referencial para lidar com a resposta.*

Mergulharemos mais fundo em algumas perguntas difíceis quando explorarmos a linguagem da dor, mas vale a pena citar o que C. S. Lewis disse: "Pode um mortal fazer perguntas que Deus considera não passíveis de resposta? Absolutamente, sim. Todas as perguntas sem sentido não são passíveis de resposta. Quantas horas há num quilômetro? O amarelo é quadrado ou redondo? Provavelmente, metade das perguntas que fazemos — metade de nossos grandes problemas teológicos e metafísicos — pertença a essa categoria".[12]

> O espírito do homem é mais profundo que o córtex cerebral.

O que Lewis quis dizer, penso eu, é que as nossas perguntas costumam ser erradas porque se baseiam em um marco referencial pequeno demais. Você e eu não somos inteligentes o bastante para proporemos as perguntas certas porque pensamos em categorias finitas.

Cerca de seis meses após o ataque cardíaco, Dick foi visitar Denny no hospital. Ou por um impulso repentino, ou por sugestão do Espírito, ele indagou:

— Denny, lembra-se disso? "Porque Deus tanto amou o mundo que deu seu Filho unigênito..." — E interrompeu a citação no meio do versículo.

---

[12] LEWIS, C. S. **A anatomia de uma dor**: um luto em observação. São Paulo: Vida, 2006. p. 85.

Denny, que não conseguia se lembrar de nada, tinha um olhar distante. Mas de repente concluiu a frase:

— ... para que, crendo nele, não morra mais.[13]

Dick não conseguia acreditar no que ouvia. Perguntou então:

— E disso, você se lembra? — E se pôs a cantar: — "Jesus me ama, isso eu sei, pois a Bíblia assim o diz".[14]

Denny deu sequência no tom correto e cantou até o fim.

Dick se pôs a chorar naquele quarto de hospital enquanto o Senhor gravava em seu coração uma verdade simples, mas significativa: o espírito do homem é mais profundo que o córtex cerebral. E, mesmo que o córtex se danifique, o Espírito de Deus ainda consegue manter uma conversa muito íntima conosco. Talvez seja isso o que o escritor de Hebreus disse: "Pois a palavra de Deus é [...] mais afiada que qualquer espada de dois gumes; ela penetra até o ponto de dividir alma e espírito, juntas e medulas [...]" (4.12).

Quase duas décadas mais tarde, Dick contou essa história durante um culto na capela do Seminário Teológico Gordon-Conwell. No fim da celebração, um jovem seminarista aproximou-se dele correndo e disse:

— Sou estagiário em uma igreja local e fui enviado nesta última semana a uma casa de repouso para visitar certa sra. Fredericks.

A sra. Fredericks tinha mais de 90 anos e sofria de grave demência. Permanecia deitada na cama, de frente para a parede, durante horas a fio, balbuciando sílabas sem sentido.

Foi assim que o seminarista a encontrou quando foi vê-la. Não houve conversa que parecesse capaz de lhe penetrar o consciente,

---

[13] V. João 3.16.
[14] WARNER, Anna Bartlett; BRADBURY, William Batchelder, "Jesus Loves Me", 1860.

de modo que ele anunciou sua partida após a oração. Foi quando a sra. Fredericks rolou para o lado na cama e disse:

— Meu jovem, antes que se vá, quero dizer uma coisa. — Começou então a recitar o salmo 119, o mais longo da Bíblia. Ele mais que depressa abriu sua Bíblia para acompanhar. A sra. Fredericks recitou todos os 176 versículos, palavra por palavra. Em seguida, rolou de novo para o lado e retomou os balbucios.

Não tenho plena compreensão do motivo por que Denny sofreu um ataque do coração com 20 e poucos anos, ou por que a sra. Fredericks sofria de demência aos 90 anos, e não vamos nos esquivar da linguagem da dor. Trata-se de uma linguagem difícil de discernir, mas que Jesus conhecia de cor, e de coração partido. Voltaremos a falar da dor, mas agora quero focar a atenção no seguinte: mesmo sendo possível que talvez nunca entendamos inteiramente a Bíblia, a Bíblia nos entende por inteiro. Penetra a alma e o espírito; divide juntas e medulas. E como um ultrassom espiritual, revela pensamentos e atitudes do coração.

A Palavra de Deus é mais extensa que a lembrança mais extensa e mais poderosa que a imaginação mais poderosa. É também mais profunda que o córtex cerebral. Mas precisamos agir como fez o próprio salmista: "Guardei no coração a tua palavra para não pecar contra ti" (119.11).

Redefinição

Em *A viagem do Peregrino da Alvorada*,[15] há uma cena fantástica em que o quadro de um navio em alto-mar ganha vida. Um menino muito chato chamado Eustáquio Scrubb se ocupa de atormentar os primos Lucy e Edmundo pela crença tola que eles

---

[15] Lewis, C. S. **A viagem do Peregrino da Alvorada**. São Paulo: WMF Martins Fontes, 2010.

têm em um lugar chamado Nárnia quando a água do quadro começa a inundar o quarto.

Em vez de entrar em Nárnia pelo guarda-roupa, como tinham feito antes, as crianças entram pelo quadro, que se transforma no portal para uma realidade muito diferente, um mundo chamado Nárnia e um leão chamado Aslam. O quadro redefine o que é possível. E quem eles são — menino e menina que se tornam rei e rainha.

A Bíblia é o nosso quadro. Ela redefine as possibilidades: "Tudo posso naquele que me fortalece" (Filipenses 4.13). Ela reformula a realidade: "[...] 'Olho nenhum viu, ouvido nenhum ouviu, mente nenhuma imaginou o que Deus preparou para aqueles que o amam'; mas Deus o revelou a nós por meio do Espírito" (1Coríntios 2.9,10). E isso nos lembra de quem somos na realidade: "[...] aos que o receberam [...] deu-lhes o direito de se tornarem filhos de Deus" (João 1.12).

> A Bíblia ganha vida só quando lhe obedecemos ativamente.

Receio que, para alguns, a Bíblia seja como um quadro pendurado na parede. De vez em quando lhe damos uma olhadela, mas não é nada mais que um quadro bonito de ver. Tão estático quanto o *status quo*. Por quê? Porque só o que fazemos é lê-la. Não a *praticamos*. A Bíblia ganha vida só quando lhe obedecemos ativamente.

A Palavra de Deus é poderosa como as duas palavrinhas "Haja luz" (Gênesis 1.3), que ainda criam galáxias! Ela é poderosa como outra palavra, *"Efatá"*, que significa abrir ouvidos surdos e pulmões asmáticos! O profeta Isaías ensina que a Palavra de Deus não volta vazia.[16] O profeta Jeremias disse que o Senhor vigia sua

---

[16] V. Isaías 55.11.

Palavra a fim de que se cumpra.[17] Portanto, não nos limitemos a lê-la; vamos tomá-la como base. Melhor ainda, que a vivamos.

O modo mais seguro de entrar na presença de Deus é mergulhando em sua Palavra. Ela muda nosso modo de pensar, de sentir, de viver e de amar.

"Se vocês permanecerem em mim, e as minhas palavras permanecerem em vocês, pedirão o que quiserem, e será concedido." (João 15.7) O que você quer? Isso mesmo, seja o que for que você quiser. Mas a questão é: se a Palavra de Deus permanece em você de verdade, você não vai querer nada que ultrapasse os limites da boa, agradável e perfeita vontade de Deus. Detalharei essa ideia quando falarmos sobre a linguagem dos desejos. Basta dizer que a Palavra de Deus santifica os nossos desejos até a vontade de Deus ser tudo que queremos.

Deus não é o gênio da garrafa, e a nossa vontade não é o seu mandamento. Muito pelo contrário. À medida que crescemos em graça, seu mandamento se converte no nosso único desejo.

A palavra *abide*, "permanecer", é repetida nove vezes no capítulo 15 de João na *Versão King James* em inglês. Trata-se de um verbo no imperativo presente, que indicam ação contínua. Também é um daqueles termos bíblicos de múltiplas facetas. Significa "ser tocado"; é uma das maneiras pelas quais o Espírito Santo comove com o nosso espírito. Significa "ficar quieto"; é firmarmos os pés nas promessas de Deus e recusarmo-nos a voltar atrás ou a nos afastarmos. Significa "passar a noite". Quando foi a última vez que você passou uma noite inteira em oração, em adoração, na Palavra? Significa "morar". Deus não só quer fixar residência no nosso interior; ele quer passar toda a eternidade conosco.

---

[17] V. Jeremias 1.12.

Ouvir a voz de Deus começa com a vivificação. Se quer ouvir a voz mansa e delicada de Deus, permanecer é a chave. E a chave final para ouvir é agir. Ouvir sem atuar é boataria na melhor das hipóteses e hipocrisia na pior. Somos capazes de, e obrigados, a coisa bem melhor que isso.

Lectio divina

A mente produz ampla variedade de ondas cerebrais, sendo mais comuns as ondas beta, que oscilam entre 14 e 30 ciclos por segundo.[18] As ondas beta estão associadas à consciência normal do período de vigília, incluindo pensamentos ansiosos e concentração ativa. Desacelerando a mente, entramos em um estado de alerta mais relaxado que produz ondas alfa entre 8 e 13 ciclos por segundo. As ondas alfa são amplificadas pelos olhos fechados, o que pode servir como argumento fisiológico para orar e meditar dessa maneira.[19]

O ritmo em que lemos as Escrituras não é desprezível. Para ser franco, tenho a tendência de acelerar a leitura quando chego a versículos que levam ao convencimento de um pecado ou à confusão. Mas é nesses casos quando preciso diminuir a velocidade e ouvir com mais cuidado. Algumas verdades só são compreendidas via contemplação. É preciso atingir o comprimento certo de onda, literalmente. Ao sentir que está lendo rápido, vá mais devagar.

À leitura da Bíblia por extensão, dá-se o nome de *lectio continua*.

A leitura da Bíblia por profundidade recebe o nome de *lectio divina*.

---

[18] **The Physics Factbook**: An Encyclopedia of Scientific Essays. Disponível em: <http://hypertextbook.com/facts/2004/SamanthaCharles.shtml>. Acesso em: 23 jan. 2018, 18:11:26.

[19] Alpha Wave, **Wikipedia**. Disponível em: <https://en.wikipedia.org/wiki/Alpha_wave>. Acesso em: 23 jan. 2018, 18:20:18.

A *lectio divina* é uma antiga prática beneditina e constitui um modo de discernir a voz de Deus. Envolve quatro passos ou estágios: leitura, meditação, oração e contemplação. A *lectio divina* costuma ser comparada a uma refeição, e eu gosto dessa metáfora.

Ler é dar a primeira mordida. Infelizmente, a maioria das pessoas para aqui. O segundo passo, a meditação, tem a ver com mastigar palavras e frases. Em vez de dissecar a Palavra, deixamos que ela nos disseque. O terceiro passo, a oração, equivale a saborear a Palavra. Quando foi a última vez que você leu a Bíblia por puro prazer? É a oração que transforma disciplina em desejo: "ser obrigado a" se converte em "ter a oportunidade de". E o quarto passo, a contemplação, é digerir a Palavra e absorver-lhe os nutrientes. Desse modo, a Palavra passa da cabeça para o coração.

> Ouvir a voz de Deus por meio da Bíblia requer meditação, oração e contemplação.

Eu gostaria que ouvir a voz de Deus fosse fácil como ler, mas não é. Requer meditação, oração e contemplação. Por irônico que pareça, somente quando diminuímos o ritmo é que o Espírito Santo aumenta o estímulo de vida em nós. Mas esse quebra-cabeça tem mais uma peça.

"O cristianismo tem sido menos provado e julgado insuficiente", disse G. K. Chesterton, "do que considerado difícil e abandonado sem que dele provem".[20] Não se pode apenas ler a Palavra, meditar sobre ela, orar por meio dela e contemplá-la. É preciso *praticá-la*. Enquanto não obedecer a ela, você estará apenas sendo educado além do nível da sua obediência.

---

[20] CHESTERTON, G. K., in: WILLARD, Dallas. **O espírito das disciplinas:** entendendo como Deus transforma vidas. Rio de Janeiro: Habacuc, 2003.

"Gostaria de saber o que aconteceria", disse Peter Marshall, "se todos concordássemos em ler um dos Evangelhos até chegarmos a determinado ponto que nos dissesse para fazer alguma coisa, e *então saíssemos para fazê-la*, e só depois [...] retomássemos a leitura".[21] Vou explicar com precisão o que aconteceria: o Reino de Deus viria, e sua vontade seria feita! É o que acontece quando ouvintes da Palavra se tornam seus praticantes.

Pratique!

E então veja Deus agir!

---

[21] MARSHALL, Peter. **Mr. Jones, Meet the Master**: Sermons and Prayers of Peter Marshall. Grand Rapids: Revell, 1982. p. 143.

6

A voz da alegria

A segunda linguagem: Desejos

Deleite-se no Senhor, e ele atenderá
aos desejos do seu coração.
— Salmos 37.4 — 2 parte

No ano-novo de 2014, a bailarina britânica Gillian Lynne foi nomeada Dama Comandante da Ordem do Império Britânico. Eu não fazia ideia do que isso queria dizer, mas soava tremendamente impressionante, de modo que fui procurar saber. É uma das honrarias mais elevadas conferidas a um civil por sua contribuição fora de combate para o Reino Unido. Quer me parecer que o balé se qualifica como fora de combate.

Em seu vigésimo aniversário, Gillian foi escalada como solista em *A Bela adormecida* do Royal Ballet e desde então foi um sucesso atrás do outro. Ela explorou suas habilidades como dançarina em uma carreira de coreógrafa que produziu espetáculos como *Cats* e *O fantasma da ópera*. Talvez nada se compare ao currículo de Gillian em suas atuações como bailarina e coreógrafa, mas, como todas as outras histórias de sucesso, a dela começou com nada mais que um único desejo.

Quando Gillian ainda era uma estudante, na década de 1930, seus professores ficaram preocupados com a possibilidade de ela ter algum distúrbio de aprendizagem porque não conseguia parar quieta. Hoje sua agitação provavelmente seria diagnosticada como TDAH, mas na época ninguém pensava nisso. Assim, levaram-na a um especialista, que ouviu a mãe aflita da menina relatar os problemas apresentados pela filha de 8 anos de idade. Após vinte minutos de conversa, o médico pediu para falar em particular com a mulher. Assim que ficaram a sós no consultório, o médico ligou o rádio e pediu para a sra. Lynne apenas observar. Na mesma hora, Gillian se levantou e começou a mover o corpo conforme a música. Então, o médico perspicaz disse: "Senhora Lynne, Gillian não está doente. Ela é uma bailarina. Leve-a para uma escola de dança".[1] E foi o que a mãe de Gillian fez.

"Nem sei lhe dizer como foi maravilhoso", relatou Gillian. "Entramos em uma sala cheia de gente como eu. Pessoas que não conseguiam ficar sentadas. Que precisavam se mexer para conseguir pensar."[2] Era quase como se ela renascesse. Embora oito décadas tenham se passado, o desejo de dançar continua sendo a força motora de sua vida.

Depois de compartilhar a história de Gillian no vídeo da série TED Talk mais visto da História, "Do Schools Kill Creativity?" [As escolas matam a criatividade?], o especialista em educação *sir* Ken Robinson observou a inteligência do especialista: "Outra pessoa poderia tê-la colocado para tomar remédio e mandado que se acalmasse".[3]

---

[1] ROBINSON, Ken. Do Schools Kill Creativity?, filmado em fevereiro de 2006, **TED video**, 19:24. Disponível em: <www.ted.com/talks/ken_robinson_says_schools_kill_creativity>. Acesso em: 2 fev. 2018, 17:13:20.
[2] Ibid.
[3] Ibid.

Quero deixar registrada a minha eterna gratidão aos médicos e à medicina. Ambos salvaram a minha vida diversas vezes. Não se trata aqui de argumentar contra a prescrição médica, de forma alguma. A discussão é a favor de correr atrás dos desejos ordenados por Deus.

O psicólogo norte-americano Abraham Maslow talvez tenha dito isso melhor: "O músico precisa fazer música, o construtor precisa construir, o artista precisa pintar, o poeta precisa escrever caso pretendam ficar em paz consigo mesmos no fim das contas".[4] E eu diria não apenas "em paz", mas "livres". De que adianta tentar ser quem não se é? Ser bem-sucedido nisso é ser quem não se é, e não ser quem se é. Na verdade, você seria menos parecido com a pessoa que Deus o projetou e destinou para ser. Isso não é ser bem-sucedido; isso é fracassar. Quanto a mim, prefiro fracassar em algo que amo a alcançar o sucesso no que não amo. E tudo começa pela decodificação dos nossos desejos, a segunda linguagem de Deus.

> Temos a tendência de pensar em desejos sob uma luz negativa.

> Deleite-se no SENHOR, e ele atenderá aos desejos do seu coração. (Salmos 37.4)

Temos a tendência de pensar em desejos sob uma luz negativa, mas C. S. Lewis era de opinião contrária. "Somos criaturas indolentes, brincando com bebidas e sexo e ambição quando a alegria infinita nos é ofertada."[5] De acordo com Lewis, "o nosso

---

[4] MASLOW, Abraham, in: CATHCART, Jim. **The Acorn Principle:** Know Yourself, Grow Yourself. New York: St. Martins, 1999. p. 115.
[5] LEWIS, C. S. **Peso de glória**. São Paulo: Vida Nova, 1993.

Senhor não considera os nossos desejos fortes demais, mas frágeis demais".⁶ Alguns são pecaminosos, sem dúvida. E esses desejos pecaminosos têm de ser crucificados. Mas Deus também quer ressuscitá-los, santificá-los, intensificá-los e potencializá-los segundo seus propósitos.

Deleite puro

Ella Schmidgall, uma sobrinha minha, queria um cachorro mais que tudo na vida. Talvez mais do que qualquer garotinha já desejou um cachorro! Por cinco anos, ela orou, e pediu, e suplicou para os pais lhe darem um cachorro. Ela é um doce de menina; para mim é um mistério como os pais conseguiram protelar tanto tempo para atendê-la. Depois de passar metade da vida à espera de um cachorro, Ella recebeu a maior surpresa do mundo em seu décimo aniversário. A mãe pediu que fechasse os olhos enquanto o pai lhe entregava um filhote da raça Maltipoo de 1,6 quilo chamado Reece. Ella se pôs a soluçar incontrolavelmente. Sei disso porque a mãe filmou tudo para a família ver. Creio que nunca vi ninguém mais dominado por uma alegria indescritível.

> Deus se deleita no que faz e não quer menos que isso de nós.

A reação de Ella é a minha definição de deleite.

No livro de Gênesis, sete vezes Deus toma distância da tela de sua criação para admirar a obra de suas mãos e ver que era boa.⁷ É a primeira reação do Todo-poderoso diante de sua criação. O primeiro registro de emoção expresso por Deus. A palavra

---

⁶ Ibid.
⁷ V. Gênesis 1.4,10,12,18,25,31.

"bom", *good* em inglês, no hebraico é *tob*.[8] Trata-se de uma alegria indizível. Puro deleite.

Essa primeira emoção dá o tom, estabelece um padrão. Deus se deleita no que faz e não quer menos que isso de nós. Deseja que nos deleitemos em sua criação. Que nos deleitemos uns nos outros. E, acima de tudo, que nos deleitemos nele.

O primeiro princípio do *Catecismo menor de Westminster* diz: "A finalidade principal do homem é glorificar a Deus, e nele deleitar-se para sempre".[9] Concordamos inteiramente com a primeira metade, mas não tenho certeza de que saibamos avaliar muito bem a importância da segunda. Até que ponto você se deleita em Deus? Em sua Palavra? Em sua presença? Claro, em geral as disciplinas espirituais começam mesmo como disciplinas. Mas cedo ou tarde se convertem em desejos, caso você se deleite no Senhor.

Diga-me até que ponto você se deleita em Deus, e eu direi quanto você tem maturidade espiritual. A última coisa que Deus deseja é que sua Palavra transmita a sensação de uma obrigação desagradável. Você a lê por prazer? Se não, está lendo errado. Às vezes, a Palavra nos convence do pecado, o que provoca uma pontada de culpa, mas esse é o primeiro passo para buscar perdão e encontrar graça, o que sempre leva a uma alegria maior. Obedecer a Deus é a nossa maior alegria, o nosso maior privilégio! Amar a Deus com toda a nossa força com certeza requer trabalho, mas deveria ser um trabalho de amor.

---

[8] Elwell, Walter A. **Evangelical Dictionary of Biblical Theology**. Grand Rapids: Baker, 1996, s.v. "good, goodness".

[9] "Westminster Shorter Catechism with Proof Texts", **Center for Reformed Theology and Apologetics**. Disponível em: <www.reformed.org/documents/wsc/index.html?_top=http://www.reformed.org/documents/WSC.html>. Acesso em: 5 fev. 2018, 10:44:45.

Busquem primeiro

Quando eu cursava o seminário, houve um momento distinto em que me senti chamado para escrever. Estava orando na capela quando a voz mansa e delicada sussurrou: *Mark, eu o chamei para ser uma voz para a sua geração*. A ironia dessa história é que eu acabara de me submeter a um teste vocacional que mostrara pouca aptidão para a escrita.

Escrever não é um dom natural, mas Deus compensou esse fato dando-me o forte desejo de fazê-lo. E creia-me, é preciso toneladas de desejo para cumprir prazos. Às vezes, os seus desejos se alinharão com os seus talentos, e é nesse ponto que você se torna duplamente perigoso para o Inimigo! Mas Deus também nos chama para fazer coisas que estão fora do nosso conjunto de habilidades naturais, exigindo tremenda dependência da ajuda dele.

A princípio, o meu desejo de escrever se expressou na forma de um apetite voraz pela leitura. Como já mencionei, li bem poucos livros antes do último ano de faculdade. Mas, a partir do momento em que me senti chamado para escrever, soube que precisava ler. E investi nisso cada minuto livre e cada dólar excedente. Li 3 mil livros antes de escrever um.

> Buscar Deus em primeiro lugar é dar-lhe a primeira e a última palavra.

Não tenho dúvida de que Deus concebeu esse desejo dentro de mim. Escrevo por uma razão: fui chamado para isso. Quando me sento na frente do computador, tiro os sapatos porque piso solo sagrado. E não digito apenas com o teclado; adoro a Deus com as 26 letras do alfabeto inglês. Escrevi 15 livros ao longo da última década, e cada um deles é um eco daquele sussurro único.

No Sermão do Monte, Jesus revelou uma sequência sobrenatural inviolável. Ele disse: "Busquem, pois, em primeiro lugar o

Reino de Deus e a sua justiça, e todas essas coisas serão acrescentadas a vocês" (Mateus 6.33). Receio que muitos leiamos isso de trás para a frente. Queremos tudo que o mundo tem a oferecer e depois buscaremos Deus. Mas não é assim que funciona. Você não pode buscar Deus em segundo, ou terceiro, ou décimo lugar e esperar que ele satisfaça os desejos do seu coração.

Buscar Deus em primeiro lugar é deleitar-se no Senhor.

Buscar Deus em primeiro lugar é dar-lhe a primeira e a última palavra.

Buscar Deus em primeiro lugar é certificar-se de que a voz dele é a mais alta na sua vida.

Nas palavras do apóstolo Paulo, "considero tudo como perda, comparado com a suprema grandeza do conhecimento de Cristo Jesus, meu Senhor" (Filipenses 3.8). Então e só então Deus nos falará na linguagem dos desejos. Transformará e intensificará os nossos desejos, e "carregará" novos desejos no nosso interior. Esses desejos na verdade se convertem em bússolas espirituais pelas quais navegamos pela vontade de Deus.

A voz da alegria

Na manhã de 11 de julho de 1924, Eric Liddell estava prestes a participar da corrida de 400 metros na Olimpíada de Paris. Retirara-se da competição dos 100 metros em que era o favorito, pois se recusava a correr em um domingo. Enquanto se preparava para a corrida de 400 metros, que não era seu forte, entregaram-lhe um pedaço de papel com uma paráfrase de 1Samuel 2.30: "Honrarei aqueles que me honram". Apesar de competir na raia mais exterior, o "Escocês Voador" quebrou os recordes olímpico e mundial com o tempo de 47,6 segundos e ganhou a medalha de ouro.[10]

---

[10] Eric Liddell — Olympic Athlete and Missionary to China, **Truth for Life**, January 5, 2015. Disponível em: <http://blog.truthforlife.org/eric-liddell--olympic-athlete-and-missionary>. Acesso em: 5 fev. 2018, 13:14:36.

No filme *Carruagens de fogo*, premiado com um Oscar em 1981, a irmã de Eric não compreende sua devoção às pistas e tenta convencê-lo a desistir de correr e a mudar-se para a China. Ele acabou indo e servindo como missionário naquele país por dezoito anos.[11] Mas ele também acreditava ser Deus quem lhe dera o desejo de correr. "[Deus] me fez veloz", explicou Eric. "E, quando corro, sinto o prazer que ele tem."[12]

Guarde essa ideia.

Alguns séculos atrás, havia na igreja um indicador decisivo para determinar se algo era pecado ou não: "Você teve prazer em fazer isso?". Se teve, era pecado. Que teste horrível. O próprio Deus seria reprovado por ele no primeiro capítulo de Gênesis. O salmista chegou a dizer: "Tu me farás conhecer [...] eterno prazer à tua direita" (Salmos 16.11). Não parece um desmancha-prazeres cósmico! Parece mais um hedonista cristão.[13] Nas palavras de John Piper, "Deus é mais glorificado em nós quando estamos mais satisfeitos nele".[14]

O prazer não é uma coisa ruim. É um dom de Deus. Em que momento começamos a crer que Deus deseja nos enviar para lugares a que não temos vontade de ir a fim de fazer coisas que não queremos fazer? Claro, tomarmos a nossa cruz envolve sacrifício. Mas, quando nos deleitamos no Senhor, Deus nos dá

---

[11] A Short Biography of Eric H. Liddell (1902-1945), **Eric Liddell Centre**. Disponível em: <www.ericliddell.org/about-us/eric-liddell/biography/>. Acesso em: 5 fev. 2018, 13:17:24.

[12] *Chariots of Fire* Quotes, **IMDb**. Disponível em: <www.imdb.com/title/tt0082158/quotes>. Acesso em: 5 fev. 2018, 15:47:04.

[13] Se você ainda não leu *Desiring God: Meditations of a Christian Hedonist*, de John Piper, procure encomendá-lo imediatamente.

[14] PIPER, John. **Desiring God:** Meditations of a Christian Hedonist. New York: Mulnomah, 2003. p. 10.

o desejo de fazer aquilo para o que ele nos chamou, seja lá o que for, por difícil que seja.

Conversei diversas vezes com implantadores de igrejas ao longo dos anos, e uma das perguntas mais comuns que eles enfrentam é: onde implantar a próxima igreja? Muitos realizam estudos demográficos, e essa é uma diligência devida. Mas eu sempre apelo para o desejo: "Onde você mais deseja viver?". Essa pergunta costuma resultar em olhares de perplexidade, de modo que pioro ainda mais as coisas: "Onde você *tem vontade* de criar os seus filhos? Prefere a cidade, o subúrbio ou o interior? Quer constituir família, ou ir o mais longe que puder sozinho? É do tipo que gosta de montanha, ou de lago? Da Costa Oeste? Da Costa Leste? De nenhuma das duas?". A razão pela qual proponho tantas perguntas é a minha convicção de que os implantadores de igrejas terão mais sucesso onde realmente têm vontade de viver. Parece bastante simples, não? Mas o fato de termos mais contato com as expectativas alheias do que com os nossos desejos torna tudo bem difícil.

> Sacrificamos os nossos desejos no altar das expectativas dos outros.

Alguns de nós não fazem ideia do que querem, pois sacrificamos os nossos desejos no altar das expectativas dos outros. Damo-nos por satisfeitos com um "deveria". Com um "tenho de" em vez de um "eu quero". E então nos perguntamos por que não sentimos a alegria do Senhor. A resposta é: por darmos ouvidos às vozes erradas.

Frederick Buechner tratou do desafio de escolher a voz certa para ouvir em seu livro *Wishful Thinking* [Sonhando acordado]. Ele cita três cenários padrão: sociedade, superego e interesse próprio. Se não lhes abaixamos o volume ou os desligamos, são deles as vozes a soarem mais alto na nossa vida. A sociedade nos bombardeia com suas mensagens o dia inteiro, todos os dias. *Outdoors*, comerciais, propagandas clicáveis e as mídias sociais são a ponta do *iceberg*. O superego tem a voz mais alta. E o interesse próprio não se deixa desligar com facilidade. Se der ouvidos a essas vozes, você se conformará ao padrão do mundo ao redor.[15]

Em seguida, Buechner muda o curso dessa história e revela um indicador decisivo que aprendi a amar. "A voz que mais deveríamos ouvir ao escolhermos uma vocação é aquela que pensaríamos ser a que menos deveríamos ouvir, ou seja, a voz da nossa alegria. O que podemos fazer que nos deixe mais alegres? [...] Acredito que, se for algo que nos torna realmente alegres, então é algo bom, sob medida para nós."[16]

Algo divino, eu acrescentaria.

Se há uma lição a ser aprendida com a vida de Eric Liddell, há grande probabilidade de que seja a mesma do princípio proposto por Frederick Buechner: ouça a voz da alegria. Ao fazê-lo, cada milímetro da pista de corrida se transforma em um campo missionário como a China. E você pode preencher a lacuna com seja o que for para o que se sinta chamado.

Ponto ideal

Talento ou paixão? Qual é o item mais importante em se tratando de sucesso profissional? Você poderia ser tentado a pensar que é o talento, mas um estudo de onze anos conduzido pelo dr. Daniel Heller defenderia o contrário. O estudo pesquisou 450

---

[15] V. Romanos 12.2.
[16] BUECHNER, Frederick. **Wishful Thinking:** A Seeker's ABC. New York: HarperOne 1993. p. 118.

estudantes de música de elite e descobriu que, com o tempo, a paixão ultrapassa o talento. Era a paixão por música desses estudantes que os inspirava a se exporem a maiores riscos e dava-lhes a motivação intrínseca para persistirem diante da adversidade. No fim, a paixão sai vencedora.[17]

> Os desejos ordenados por Deus são aquilo pelo que somos mais apaixonados.

A vida é curta demais para você não amar o que faz; então, faça o que ama. A chave é encontrar o local em que dons e desejos se sobrepõem. Os dons conferidos por Deus são aquilo em que somos melhores. Os desejos ordenados por Deus são aquilo pelo que somos mais apaixonados. E o local onde esses dons e desejos se sobrepõem é o ponto ideal.

> Temos diferentes dons, de acordo com a graça que nos foi dada. Se alguém tem o dom de profetizar, use-o na proporção da sua fé. Se o seu dom é servir, sirva; se é ensinar, ensine; se é dar ânimo, que assim faça; se é contribuir, que contribua generosamente; se é exercer liderança, que a exerça com zelo; se é mostrar misericórdia, que o faça com alegria. (Romanos 12.6-8)

O apóstolo Paulo nos exortou a que usemos os dons que Deus nos conferiu para perseguir os desejos que ele nos ordenou. E identificou três características que deveriam nos definir como seguidores de Cristo: generosidade, zelo e alegria. Não importa o que você faça, esses três adjetivos devem ser aplicáveis.

---

[17] Passion Is More Important for Professional Success Than Talent, **No-Camels, Israeli Innovation News**, November 4, 2015. Disponível em: <http://nocamels.com/2015/11/passion-important-for-career/>. Acesso em: 5 fev. 2018, 17:38:04.

A palavra "generosamente" vem do grego *haplotes*.[18] É ir acima e além da obrigação. É a segunda milha. A expressão "com alegria" vem de *hilarotes*,[19] que quer dizer assobiar enquanto se trabalha. É uma atitude de quem apresenta o melhor desempenho de que é capaz. E a palavra "zelo" vem do grego *spoude*.[20] É interessar-se pela excelência, pela atenção ao detalhe. É demonstrar esmero e escrúpulo em tudo que fazemos. Sugere um aprimoramento contínuo. Mas há um detalhe sutil fácil de passar despercebido. Zelo, ou desvelo, quer dizer deleitar-se no que fazemos. E, quando isso acontece, tudo que fazemos se transforma em um ato de adoração.

Martinho Lutero certa vez observou: "O sapateiro cristão executa seu ofício não aplicando pequenas cruzes sobre os sapatos, mas fabricando bons sapatos, pois Deus está interessado em perícia profissional".[21] Amém. E, por falar em perícia profissional, a ensaísta Dorothy Sayers chegou a dizer: "Nunca nenhuma perna torta de mesa ou gaveta que não encaixa, ouso jurar, saiu da oficina do carpinteiro de Nazaré".[22]

Zelo é fazer o que se faz com uma dose extra de excelência.

Zelo é fazer o que se faz com uma dose extra de amor.

Muitos anos atrás, fiz parte de uma equipe missionária que ajudou a construir um centro de apoio Teen Challenge em Ocho

---

[18] **Bible Study Tools**, s.v. "haplotes". Disponível em: <www.biblestudytools.com/lexicons/greek/nas/haplotes.html>. Acesso em: 5 fev. 2018, 17:58:01.

[19] **Bible Study Tools**, s.v. "hilarotes". Disponível em: <www.biblestudytools.com/lexicons/greek/kjv/hilarotes.html>. Acesso em: 5 fev. 2018, 19:05:06.

[20] **Bible Study Tools**, s.v. "spoude". Disponível em: <www.biblestudytools.com/lexicons/greek/kjv/spoude.html>. Acesso em: 5 fev. 2018, 19:18:47.

[21] Martin Luther, **Goodreads**. Disponível em: <www.goodreads.com/quotes/924405-the-christian-shoemaker-does-his-duty-not-by-putting--little>. Acesso em: 5 fev. 2018, 19:46:32.

[22] SAYERS, Dorothy. **Letters to a Diminished Church:** Passionate Arguments for the Relevance of Christian Doctrine. Nashville: W Publishing, 2004. p. 132.

Rios, Jamaica. Sei que isso não parece envolver grande sacrifício, mas a Jamaica não é só mar azul e praias lindas. A nossa equipe trabalhou de sol a sol construindo um centro ministerial onde viciados em drogas e álcool pudessem encontrar libertação em Cristo. Uma das nossas incumbências consistia em lixar paredes de concreto, preparando-as para a pintura. Acontece que não tínhamos lixadeiras. Precisamos usar blocos de concreto para raspar as paredes de concreto, e o som disso consegue ser pior que unhas arranhando um quadro-negro. Poucas horas depois de começar a trabalhar, os meus ombros doíam e os meus nervos estavam em frangalhos. Foi quando ouvi o sussurro de Deus além do concreto contra o concreto: *Mark, isso é música para os meus ouvidos!*

No fim do dia, sentia-me completamente exausto. Mas havia um sentimento de satisfação incomparável a qualquer culto de adoração de que eu já participara. Sentia-me como se tivesse amado a Deus com toda a minha força. E, ao fazermos isso, as nossas energias se convertem em melodias aos ouvidos divinos.

412 emoções

Entre as porções mais impressionantes do cérebro humano, estão as amígdalas, o conjunto amendoado de núcleos localizado no interior do lobo temporal. Apesar dos avanços impressionantes da neurociência e da neuroimagiologia, as amígdalas permanecem bastante misteriosas. Só sabemos que são a sede das emoções e que mantêm íntima relação com a tomada de decisões e a produção da memória. Como princípio básico geral, emoções mais fortes resultam em decisões mais difíceis e memórias mais longas.

As emoções são objeto de muita controvérsia, mas se enquadram em duas categorias básicas: negativas e positivas. Uma é vital para a sobrevivência e a outra, vital para o desenvolvimento bem-sucedido. Emoções negativas como o medo nos mantêm longe dos problemas. As positivas, como a esperança, nos livram de apuros. E a questão é mais do que de atitude; é espiritual. A negatividade pode nos manter de fora da terra prometida e nos custar quarenta anos.[23]

Robert Plutchik, professor emérito da Faculdade de Medicina Albert Einstein, identificou oito emoções básicas: alegria, confiança, medo, surpresa, tristeza, repugnância, raiva e expectativa.[24] A linguagem de anotação e representação da emoção (EARL em inglês) sugere 48 emoções básicas.[25] E o professor Simon Baron-Cohen, do Autism Research Centre da Universidade de Cambridge, identificou 412 emoções com expressões faciais correspondentes.[26]

> Não importa quantas emoções tenhamos, cada uma delas é uma faceta da imagem de Deus.

Não importa quantas emoções tenhamos, cada uma delas é uma função das amígdalas e uma faceta da imagem de Deus.

---

[23] O israelitas não conseguiram entrar na terra prometida na primeira tentativa em razão de um relatório ruim feito por 10 dos 12 espias enviados para sondar o terreno.

[24] Robert Plutchik's Wheel of Emotions, **Study.com**. Disponível em: <http://study.com/academy/lesson/robert-plutchiks-wheel-of-emotions-lesson-quiz.html>. Acesso em: 5 fev. 2018, 20:35:21.

[25] Emotion Annotation and Representation Language. Disponível em: <https://socialselves.files.wordpress.com/2013/03/earl.pdf>. Acesso em: 5 fev. 2018, 20:48:15.

[26] BIRKETT, Dea. I Know Just How You Feel, **Guardian**, September 3, 2002. Disponível em: <https://www.theguardian.com/education/2002/sep/03/science.highereducation>. Acesso em: 5 fev. 2018, 20:57:13.

E um dom de Deus, eu diria. Evidentemente, esse dom deve ser santificado e administrado, como tudo o mais.

Quando cursei a pós-graduação, um dos meus professores propôs uma questão instigante: "O que faz você chorar ou dar com o punho em cima da mesa?". Em outras palavras, o que o deixa triste ou furioso? Essas emoções servem como sinais e pistas. Eu acrescentaria alegre a furioso e triste. As três emoções nos ajudam a discernir a voz de Deus. Sei que as emoções recebem críticas injustificadas quando o assunto é tomada de decisão, e não estou sugerindo que deixemos uma emoção desenfreada assumir o volante. Do banco de trás, no entanto, a emoção é excelente copiloto se estivermos nos deleitando no Senhor.

Ignorar essas emoções é ignorar a voz de Deus. Ele fala por meio das nossas lágrimas — de tristeza e de alegria. Não foi assim que Neemias identificou seu ponto ideal? Quando ouviu falar que o muro de Jerusalém se encontrava em mau estado, ele chorou. Lágrimas são pistas que nos ajudam a identificar os desejos ordenados por Deus. O mesmo vale para a indignação justa. Se não nos enfurecemos com a injustiça, significa que as nossas emoções não estão em sintonia fina com o Pai celestial. Essas emoções devem ser canalizadas na direção certa, mas, sem elas, o mal segue descontrolado. O nosso coração deveria partir com tudo que parte o coração de Deus, mas também deveria ir mais devagar. Seja a voz da tristeza, da raiva, seja a da alegria, não ignore essas emoções. Deus fala por meio delas.

Veia competitiva

Quando comecei a pastorear, lutava contra um complexo de inferioridade, que levantava a cabeça pavorosa sempre que me encontrava em companhia de outros pastores, pois me sentia insignificante comparado a eles. A palavra-chave é mesmo esta: "comparação". Ninguém sai ganhando no jogo da comparação. Ele só leva a uma de duas coisas: orgulho ou inveja. E ambas nos devoram de dentro para fora. Encolhia-me todo sempre que me perguntavam o tamanho da nossa igreja. Sentia-me um pouco como Saul ao ouvir o povo cantar: "[...] 'Saul matou milhares; Davi, dezenas de milhares' " (1Samuel 18.7). No meu caso, éramos apenas algumas dezenas na igreja!

Esse complexo de inferioridade se agravava pelo fato de eu ser competitivo ao extremo. Odiava perder no Candy Land para meus filhos! Foi essa veia competitiva que me ajudou a sobressair como atleta, chegando a ser homenageado no último ano da faculdade ao participar de um dos times principais da liga de basquete amador. Acho melhor dizer que era a NCCAA, não a NCAA, sigla em inglês para Associação Atlética Universitária Nacional. O *C* extra corresponde a Cristã, portanto não se impressione demais. Todavia, quando a minha carreira como jogador de basquete chegou ao fim, fiquei sem válvula de escape para a minha competitividade. Comecei a atuar no ministério pouco depois, e minha veia competitiva tomou conta de mim, trazendo à tona o que eu tinha de pior. A situação se agravou tanto que pedi a Deus para matar essa minha característica, no que fui repreendido por ele. Não foi uma voz audível, mas Deus disse em termos nem um pouco duvidosos: *Não quero matá-la; quero santificá-la para os meus propósitos*.

Lembra-se da reação do apóstolo Paulo ao experimentar profunda aflição com a idolatria que encontrou em Atenas? Ele não boicotou o Areópago, certo? Em vez disso, entrou naquele lugar, ficou cara a cara com algumas das maiores mentes filosóficas do mundo antigo e pleiteou pela verdade. Paulo não era homem de bater em retirada diante de nada nem de ninguém.

Tinha uma veia competitiva santificada, e ela se fazia acompanhar de uma veia obstinada santificada.

Foi Paulo que ensinou: "Nada façam por ambição egoísta [...]" (Filipenses 2.3). A maioria de nós se detém nesse ponto, mas a batalha só chegou à metade. Deus não deseja apenas eliminar a ambição egoísta; ele quer amplificar a ambição pela piedade. A diferença é simples: para quem você faz o que faz?

Há uma linha tênue entre "Venha o teu Reino" e "Venha o meu reino". Se a cruzarmos, Deus retirará seu favor mais depressa do que somos capazes de dizer *pecado*. No Reino de Deus, se fizermos as coisas certas pelos motivos errados, não recebemos crédito algum. Tudo tem a ver com as motivações, e a única razão correta é a glória de Deus. Somos todos impulsionados por uma ambição egoísta excessiva, mas nenhum de nós chega perto de ter ambição piedosa suficiente. Não se pode ter ambição demais quando se trata das coisas de Deus.

> Não se pode ter ambição demais quando se trata das coisas de Deus.

Tento viver pela máxima de Michelangelo: "Critique criando".[27] Em vez de reclamar do que está errado, somos chamados para competir pelo que é certo. Como? Compondo músicas melhores, produzindo filmes melhores, abrindo negócios melhores, esboçando leis melhores e fazendo pesquisas melhores. E isso para a glória de Deus!

Sinais de cautela

A linguagem do desejo é difícil de discernir em virtude das nossas motivações confusas e da capacidade infinita que temos de

---

[27] Michelangelo, **Goodreads**. Disponível em: <www.goodreads.com/quotes/497577-critique-by-creating>. Acesso em: 5 fev. 2018, 23:43:52.

enganarmos a nós mesmos. Embora eu creia que Deus use a emoção para nos conduzir, é fácil permitir que ela nos tire da rota. Aqui estão algumas lições que aprendi a duras penas ao longo do caminho. Pense nelas como sinais de cautela.

Primeiro, *deixe o ego de fora*.

Você precisa depositar o seu ego no altar a cada dia. Se não o fizer, cairá na armadilha da comparação. E não realizará muita coisa para o Reino porque tudo girará ao seu redor. Você sabia que pode estar fazendo a vontade de Deus e ele se opor a ela? Sei que parece errado lógica e teologicamente, mas é verdade. "[...] 'Deus se opõe aos orgulhosos [...]' " (Tiago 4.6). Orgulhar-se é autorizar o ego a ter a voz mais alta. E tentar fazer a vontade de Deus em espírito de orgulho é dar dois passos à frente e três para trás.

> O desejo excessivo de alguma coisa costuma ser indício de que você não está pronto para ela.

Segundo, *se desejar demais, talvez você deseje pelos motivos errados*.

Sei que parece contraditório, por isso deixe-me explicar. O desejo excessivo de alguma coisa costuma ser indício de que você não está pronto para ela. Por quê? Porque essa coisa se tornou um ídolo na sua vida. Ídolo é tudo que você deseja mais que a Deus, e isso inclui os sonhos dados e os chamados ordenados por Deus. Precisei morrer para alguns desses desejos. E, quando os depositei no altar, descobri que às vezes Deus os devolve para nós.

Terceiro, *a emoção é excelente serva, mas uma senhora terrível*.

De modo geral, não tome decisões quando estiver em um frenesi emocional ou em depressão profunda. É esse o momento em que aparecem tatuagens nos lugares errados. Em que você diz e faz coisas de que se arrependerá. E em que a presença do nono fruto do Espírito é tão fundamental.²⁸ Na verdade, penso que o domínio próprio seja o último da lista por demorar mais tempo para ser cultivado. Como guardião emocional, ele mantém as outras emoções sob controle.

Quando Abraham Lincoln se aborrecia com alguém, tinha o hábito de redigir o que chamava de "carta furiosa". Em um exercício catártico, punha toda a raiva e frustração no papel. Então, depois que essas emoções esfriavam, ele escrevia: "Jamais enviada. Jamais assinada".²⁹ Na psicologia, isso é chamado de interrupção de padrão. É a diferença entre reagir e responder. E um modo nada mau de pôr Tiago 1.19 em prática: "[...] Sejam todos prontos para ouvir, tardios para falar e tardios para irar-se".

Quarto, *uma das chaves para discernir se um desejo foi ordenado por Deus é decifrar se ele aumenta e diminui com o tempo.*

Às vezes, você precisa dar tempo ao tempo para pensar bem no assunto ou, melhor ainda, jejuar sobre o assunto. Dê-lhe algum tempo e veja se o desejo fica mais forte ou mais fraco. Se você se deleita no Senhor e o seu desejo passa no teste do tempo tornando-se mais forte, há uma probabilidade maior de que seja algo bom e de Deus.

E quinto, *um pouco de inteligência emocional ajuda a percorrer um longo caminho.*

De acordo com o jornalista científico Daniel Goleman, só 20% dos fatores que levam ao sucesso vocacional têm relação com o quociente de inteligência.³⁰ Os outros 80% têm a ver com

---

[28] V. Gálatas 5.22,23.
[29] KONNIKOVA, Maria. The Lost Art of the Unsent Angry Letter, **New York Times**, March 22, 2014. Disponível em: <www.nytimes.com/2014/03/23/opinion/sunday/the-lost-art-of-the-unsent-angry-letter.html>. Acesso em: 6 fev. 2018, 23:21:21.
[30] GOLEMAN, Daniel. **Inteligência emocional:** por que ela pode ser mais importante que o QI. Rio de Janeiro: Objetiva, 2007.

a inteligência emocional, que Goleman define como "a capacidade de identificar, avaliar e controlar as próprias emoções, as emoções alheias e de grupos".[31]

A inteligência emocional é como um sexto sentido. E, apesar de difícil de definir, Jesus estabelece o padrão. Ninguém decifrava as pessoas como Jesus. Ninguém mais sintonizado, mais em contato com elas. Jesus antecipava com perguntas brilhantes as objeções dos fariseus e os impedia de levarem adiante seus intentos. Também discernia os desejos de quem sofria e lhes oferecia a cura.

Lembra-se da conferência na Inglaterra de que falei, aquela em que oraram "Vem, Espírito Santo"? O que não contei foi que a minha fala aconteceu logo em seguida à do arcebispo de Cantuária, Justin Welby. A minha vontade era levantar e dizer "Assino embaixo do que ele disse!" e depois me sentar outra vez. Uma de suas declarações causou um impacto profundo em mim, e já me peguei citando-a diversas vezes desde então. O arcebispo disse: "Inteligência emocional é uma faculdade acessória maravilhosa para os dons do Espírito". Não basta exercitar os dons espirituais: deve-se exercitá-los com uma medida de inteligência emocional, ou podem na verdade causar mais dano emocional que benefício.

De novo, a emoção é um dom de Deus. E, à medida que crescemos no relacionamento com Deus, o mesmo acontece com a nossa consciência e inteligência emocionais. Elas se expressam na forma de empatia pelos outros, e isso costuma resultar em sincronias sobrenaturais.

---

[31] GOLEMAN, Daniel. Emotional Intelligence (Goleman), **Learning Theories**. Disponível em: <www.learning-theories.com/emotional-intelligence-goleman.html>. Acesso em: 6 fev. 2018, 23:38:30.

Inconformidade

Na sexta série, fui um dia para a escola com uma camisa da Ocean Pacific cor-de-rosa fluorescente. Grande engano! Eu era bastante popular no ensino fundamental e um dos garotos mais altos da minha classe. Não importava. Fui alvo de zombarias sem dó nem piedade. Até meus melhores amigos me traíram aquele dia.

Adivinha quantas vezes usei aquela camisa? A conta exata: uma. Por quê? Porque não queria nunca mais me submeter àquele tipo de ridículo. O *modus operandi* no ensino fundamental é a integração, e a maioria de nós se rende a ele pelo resto da vida. Tornamo-nos conformistas a todo custo. E o custo é a nossa personalidade, individualidade e identidade singulares. Você pode chamar isso de pressão do grupo ou pensamento de grupo, mas a Bíblia chama de conformidade.

> Não se conformem ao padrão deste mundo, mas sejam transformados pela renovação da sua mente.[32]

Essa é uma das ordens mais difíceis das Escrituras porque a cultura é muito boa em nos condicionar de acordo com seus valores. Sabia que você é exposto a cerca de 5 mil mensagens publicitárias todos os dias?[33] Não parece, não é? Isso prova como a cultura é boa em fazer esse tipo de coisa. E temos de lutar contra isso.

> Muitos de nós vendemos a alma à cultura.

Não são muitas as pessoas que vendem a alma ao Diabo, mas muitos de nós vendemos a alma à cultura. Em vez de definirmos sucesso por nós mesmos,

---

[32] Romanos 12.2, tradução livre da *New International Version*.
[33] JOHNSON, Caitlin. Cutting Through Advertising Clutter, Sunday Morning, **CBS News**, September 17, 2006. Disponível em: <www.cbsnews.com/news/cutting-through-advertising-clutter/>. Acesso em: 7 fev. 2018, 10:06:09.

permitimos que a cultura o defina em nosso lugar. Em lugar de nos atrevermos a ser diferentes, conformamo-nos ao padrão deste mundo. Por quê? Permitimos que a nossa cultura tenha a voz mais alta de todas.

A inconformidade dá a sensação de se dirigir do lado errado da rua em uma via de mão única e na hora do *rush*. Mas esse é o único jeito de nos tornarmos quem Deus quer que sejamos. E o desejo é a chave.

O termo "conformidade" vem do grego *syschematizo*.[34] Significa "ser padronizado ou moldado por", o que me faz lembrar da máquina Mold-A-Rama do zoológico de Brookfield, em Illinois, que vem produzindo figuras de cera há mais de cinquenta anos. Se me recordo bem, as opções incluem uma foca cor-de-rosa, um jacaré verde, um urso marrom e um gorila preto. De maneira muito parecida com essas figuras de cera, a maioria de nós é comprimida em um molde cultural. O único modo de quebrar o molde é colocando-nos sobre o torno do oleiro. E mais, precisamos nos atrever a ser diferentes.

Pensamento divergente

Nos primeiros anos do programa Head Start,[35] foi feito um estudo envolvendo 1.600 crianças submetidas a testes em uma ampla variedade de categorias, incluindo a do pensamento divergente. Pensamento convergente é a capacidade de responder corretamente a uma pergunta que não requer criatividade, apenas inteligência analítica. Pensamento divergente dá nome a um bicho

---

[34] **Blue Letter Bible**, s.v. "syschematizo". Disponível em: <www.blueletterbible.org/lang/lexicon/lexicon.cfm?t=kjv&strongs=g4964>. Acesso em: 7 fev. 2018, 10:15:39.

[35] Iniciativa do governo federal norte-americano que oferece educação, saúde e nutrição a crianças de baixa renda e seus familiares. [N. do T.]

muito diferente. É a capacidade de gerar ideias criativas que exploram soluções possíveis.

Quando se pede a uma pessoa comum que invente o máximo possível de utilidades para um clipe de papel, ela é capaz de citar, de uma só vez, 10 a 15 usos. Um pensador divergente consegue apresentar cerca de 200.³⁶ Tanto o pensamento convergente quanto o divergente são fundamentais para diferentes tipos de incumbências, mas o pensamento divergente é melhor prognóstico de potencial para um Prêmio Nobel.³⁷

> Preocupamo-nos em demasia com o que as pessoas pensam, o que prova que não nos preocupamos o suficiente com o que Deus pensa.

No estudo longitudinal promovido pelo Head Start, 98% das crianças de 3 a 5 anos "pontuaram na categoria de gênios por pensamento divergente. Cinco anos mais tarde [...] esse número despencara para apenas 32%. [...] Outros cinco anos [...] e ele caíra para 10%".³⁸

O que aconteceu ao longo dessa década? Onde foi parar o pensamento divergente? E o que isso tem a ver com a linguagem dos desejos? A minha opinião: a maioria de nós perde o contato

---

[36] ABBASI, Kamran. A Riot of Divergent Thinking, **Journal of the Royal Society of Medicine** 104, nº 10 (October 2011): 391. Disponível em: <www.ncbi.nlm.nih.gov/pmc/articles/PMC3184540/>. Acesso em: 7 fev. 2018, 10:44:04.

[37] O jornalista Malcolm Gladwell escreve sobre essa ideia em seu livro brilhante **Fora de série**: outliers: descubra por que algumas pessoas têm sucesso e outras não (Rio de Janeiro: Sextante, 2008).

[38] PUTZIER, John. **Get Weird!** 101 Innovative Ways to Make Your Company a Great Place to Work. New York: AMACOM, 2001. p. 7-8.

com quem somos de fato e o que realmente desejamos. Em vez de seguirmos os nossos desejos ordenados por Deus rumo à individuação, a voz da alegria é sufocada pela voz da conformidade. E tudo pode começar no dia em que você usa uma camisa cor-de-rosa no ensino fundamental.

Preocupamo-nos em demasia com o que as pessoas pensam, o que prova que não nos preocupamos o suficiente com o que Deus pensa. O medo das pessoas nos impede de ouvir a voz de Deus e lhe dar atenção. Deixamos que as expectativas alheias sobrepujem os desejos que Deus pôs no nosso coração. O resultado? Esses desejos são enterrados a sete palmos. No fim, esquecemo-nos de quem de fato somos.

Uma das questões mais instigantes nos Evangelhos é esta: "Que queres que eu te faça? [...]" (Lucas 18.41, *Almeida Revista e Atualizada*). Em certo sentido, ela parece desnecessária, pois Jesus se dirige a um homem cego. Todos somos capazes de adivinhar sua resposta, certo? Ele quer enxergar, claro. Então por que Jesus faz a pergunta? A resposta é simples: porque ele quer saber o que desejamos.

Se Jesus perguntasse a pessoas comuns que entrassem em uma igreja comum "Que querem que eu lhes faça?", aposto que nove entre dez delas teriam dificuldade para responder. Por quê? Por estarmos desconectados do que de fato desejamos.

Se você não sabe o que deseja, como saberá quando o alcançar? Talvez seja hora de fazer um inventário. O que você quer que Deus faça em seu favor? Você lhe deve a resposta a essa pergunta.

Libertem o louco

Durante mais de trinta anos, Gordon MacKenzie serviu como paradoxo criativo na empresa Hallmark Cards. Seu trabalho consistia em ajudar os colegas a escapar dos laços da normalidade corporativa. Ele também organizava oficinas de criatividade em escolas elementares. Em seu livro *Orbiting the Giant Hairball* [Orbitando a gigantesca bola de pelos], MacKenzie faz uma acusação: "Do berço à cova, a pressão é constante: seja normal".[39]

Ao conduzir oficinas de criatividade, MacKenzie realizava pesquisas informais perguntando: "Quantos artistas há nesta sala?". No primeiro ano, a classe inteira agitou o braço no ar. No segundo ano, mais ou menos metade das mãos se ergueram. No terceiro ano, um terço das crianças respondeu. E, quando ele chegou aos estudantes do sexto ano, só uma ou duas crianças, hesitantes, levantaram as mãos.

De acordo com MacKenzie, toda escola que ele visitava tinha participação ativa na supressão do gênio criativo das crianças, treinando-as para que se distanciassem de sua loucura natural. Em vez de celebrarem e validarem a inteligência criativa das crianças, ela era criticada e inoculada. E a voz da normalidade se tornava a mais alta na sala.

> Há um louco em cada um de nós, como você sabe. Um louco estouvado, atrevido, insano, audaz, imprudente, inadequado, espontâneo, insensato, temerário que, na maioria de nós, há muito foi acorrentado e trancado no porão.[40]

Jesus veio libertar os cativos.[41] Em outras palavras, veio para libertar os loucos. E não só libertá-los, como também usar gente louca como você e eu para envergonhar os sábios.[42]

---

[39] MACKENZIE, Gordon. **Orbiting the Giant Hairball:** A Corporate Fool's Guide to Surviving with Grace. New York: Viking, 1996. p. 23.
[40] Ibid., p. 9.
[41] V. Lucas 4.18, *Almeida Revista e Atualizada*.
[42] V. 1Coríntios 1.27.

Salvação é bem mais que perdão para o pecado. Jesus quer nos libertar da camisa de força psicológica em que nos metemos, mas precisamos nos atrever a ser diferentes. Temos de caminhar no ritmo de uma batida diferente: o desejo santo.

> Jesus quer nos libertar da camisa de força psicológica em que nos metemos.

A Bíblia nos chama de "povo peculiar".[43] Então por que tentamos ser normais? Se a singularidade é um presente de Deus para nós, a individuação é o presente com que lhe retribuímos. E ela começa com ouvir e prestar atenção na voz do desejo. E, quando a voz de Deus é a mais alta na nossa vida, podemos nos atrever a ser diferentes.

---

[43] Primeira Pedro 2.9, tradução livre da *King James Version*.

A porta para a Bitínia

A terceira linguagem: Portas

"[...] Eis que coloquei diante de você
uma porta aberta [...]."
— Apocalipse 3.8 — 2 parte

Em 26 de dezembro de 2004, o terceiro maior terremoto já registrado por um sismógrafo[1] ocorreu bem abaixo do oceano Índico, produzindo energia equivalente a 23 mil bombas atômicas semelhantes à de Hiroshima.[2] Ele atingiu a magnitude de 9,1 na escala Richter, e suas vibrações sísmicas produziram ondas de mais de 30 metros de altura, avançando a mais de 800 quilômetros/h e alcançando um raio superior a 4.800 quilômetros.[3] Esse *tsunami*,

---

[1] Twenty Largest Earthquakes in the World, **United States Geological Survey**. Disponível em: <https://earthquake.usgs.gov/earthquakes/browse/largest-world.php>. Acesso em: 7 fev. 2018, 16:47:38.

[2] The Deadliest Tsunami in History?, News, **National Geographic**, January 7, 2005. Disponível em: <http://news.nationalgeographic.com/news/2004/12/1227_041226_tsunami.html>. Acesso em: 7 fev. 2018, 16:51:02.

[3] Indian Ocean Tsunami: Facts and Figures, **ITV Report**, December 26, 2014. Disponível em: <www.itv.com/news/2014-12-26/indian-ocean-tsunami-facts-and-figures/>. Acesso em: 7 fev. 2018, 17:02:57; Timeline

o mais mortal da História, dizimou 227.898 vidas.[4] Todavia, um grupo de pessoas que viviam bem no caminho dele sobreviveu como por milagre, sem sofrer uma única baixa.

Os *moken* são um grupo étnico austronésio cuja cultura nômade mantém estreita dependência do mar. Vivem em mar aberto do nascimento à morte.[5] Seus barcos de madeira fabricados à mão, chamados de *kabang*, funcionam como uma casa flutuante para esses ciganos do mar. As crianças *moken* aprendem a nadar antes de aprender a andar. Enxergam duas vezes mais nítido debaixo da água que as pessoas desacostumadas com o mar. E, se houvesse uma competição para determinar quem prende a respiração por mais tempo na água, não seria uma competição de verdade. Mas não foi nenhuma dessas habilidades que os salvou do *tsunami*. O que os salvou foi a intimidade com o oceano. Os *moken* conhecem seus humores e recados melhor que qualquer oceanógrafo, lendo as ondas do oceano como lemos as placas nas ruas.

No dia do terremoto, uma fotógrafa amadora de Bangcoc tirava fotos dos *moken* quando reparou em algo que a deixou preocupada. Assim que o mar começou a retroceder, muitos *moken*

---

of the 2004 Indian Ocean Earthquake, **Wikipedia**. Disponível em: <https://en.wikipedia.org/wiki/Timeline_of_the_2004_Indian_Ocean_earthquake>. Acesso em: 7 fev. 2018, 17:05:44; 11 Facts About the 2004 Indian Ocean Tsunami, **DoSomething.org**. Disponível em: <www.dosomething.org/facts/11-facts-about-2004-indian-ocean-tsunami>. Acesso em: 7 fev. 2018, 17:55:53.

[4] Sumatra Indonesia Earthquake and Tsunami, 26 December 2004, **National Geophysical Data Center**. Disponível em: <https://www.ngdc.noaa.gov/hazard/26dec2004.html>. Acesso em: 18 maio 2019, 17:28:21.

[5] Moken, **Wikipedia**. Disponível em: <https://en.wikipedia.org/wiki/Moken_people>. Acesso em: 7 fev. 2018, 17:39:55.

se puseram a chorar.⁶ Sabiam o que estava prestes a acontecer. Notaram que os pássaros tinham parado de cantar, as cigarras tinham silenciado, os elefantes se dirigiam para terrenos mais altos e os golfinhos nadavam mais longe de terra firme.

O que os *moken* fizeram?

Os que estavam próximos da costa da Tailândia puxaram os barcos para a praia e puseram-se a caminho da maior elevação possível. Quem estava no mar conduziu sua embarcação mais para alto-mar. Mergulharam até o fundo do oceano, onde sabiam que os efeitos do auge do *tsunami* seriam minimizados ao passar por eles. Na mesma região dos *moken*, pescadores birmaneses foram pegos de surpresa pelo *tsunami*, e não houve um que escapasse da morte. "Estavam pescando lulas", disse um *moken* sobrevivente. "Não sabem interpretar o que veem."⁷ Ondas, pássaros, cigarras, elefantes e golfinhos falaram com os pescadores birmaneses, mas infelizmente eles não souberam ouvir.

De acordo com o dr. Narumon Hinshiranan, um antropólogo que fala a língua *moken*, "A água retrocedeu muito depressa e uma onda, uma pequena onda, se aproximou, de modo que eles logo perceberam que aquilo não era comum".⁸

Uma pequena onda?

Sério mesmo?

Por incrível que pareça, foi tudo de que os *moken* precisaram para reconhecer que tinham um problema. Isso e a antiga lenda

---

[6] LEUNG, Rebecca. Sea Gypsies Saw Signs in the Waves: How Moken People in Asia Saved Themselves from Deadly Tsunami, **CBS News**, March 18, 2005, p. 1. Disponível em: <www.cbsnews.com/news/sea-gypsies-saw-signs-in-the-waves/>. Acesso em: 7 fev. 2018, 17:53:54.

[7] Ibid., p. 2.

[8] Ibid.

transmitida de geração a geração sobre um vagalhão chamado Laboon, a "onda que come gente".[9] De alguma forma eles entenderam que aquela onda era o Laboon.

Uma nota de rodapé fascinante. Os *moken* não sabem que idade têm porque seu conceito de tempo difere muito do nosso. Não têm uma palavra para *quando*. Nem para *olá* ou *adeus*. E, embora talvez vejamos isso como uma desvantagem logística, é mais do que mera coincidência que os *moken* tampouco tenham uma palavra para *preocupação*.[10]

Sinais

Os *moken* são uma metáfora. Como essa gente que vive do mar e fala sua linguagem, falamos a linguagem do Espírito. E um dos dialetos do Espírito são as portas: abertas e fechadas. Em certo sentido, essa terceira linguagem é uma língua de sinais. Jesus advertiu contra sinais e maravilhas servirem de prova decisiva da fé,[11] mas isso não lhes nega o valor, em se tratando de navegar na vontade do Senhor.

Lembra-se do faraó? Ele ignorou dez milagres que, na Antiguidade, equivaliam aos nossos luminosos de neon! Que resultado ele obteve com isso? Ignorar sinais é ignorar o Deus que fala por meio deles, e agimos assim para o nosso próprio prejuízo.

E se Noé ignorasse a previsão do tempo?

E se José desconsiderasse os sonhos do faraó?

E se Moisés passasse pela sarça ardente sem se deter?

E se os magos rejeitassem o que as estrelas estavam dizendo?

---

[9] Ibid.
[10] No Word for Worry, **ProjectMoken.com**. Disponível em: <http://projectmoken.com/no-word-for-worry-2/>. Acesso em: 7 fev. 2018, 22:16:01.
[11] V. João 4.48.

E se Saulo entendesse a visão na estrada para Damasco como um acidente de cavalo?

Se Noé ignorasse o sinal, ele e sua família morreriam no dilúvio e a história humana, como a conhecemos, chegaria ao fim. Se José desprezasse os sonhos do faraó, duas nações seriam destruídas pela fome. Se Moisés seguisse em frente em sua caminhada, o êxodo de Israel não aconteceria e eles não se apoderariam da terra prometida. Se os magos não seguissem a estrela, não encontrariam o Messias. E, se Saulo não desse meia-volta, não se tornaria Paulo e metade do Novo Testamento jamais teria sido escrita.

Sei que os sinais estão sujeitos a interpretação, e que existe uma linha muito tênue entre lê-los e tirar conclusões com base neles. Por favor, não tome decisões baseadas em horóscopos, cartas de tarô ou leitura das mãos — todos são exemplos de adivinhação e falsos sinais. Tampouco eu basearia grandes decisões da vida em biscoitos da sorte! Mas precisamos aprender a interpretar sinais como lemos nas Escrituras — com o auxílio do Espírito Santo. Não se engane em relação a isto: Deus fala por meio das circunstâncias. As Escrituras são prova direta, mas a prova circunstancial também conta.

> Discernimento é a capacidade de avaliar uma situação com uma sagacidade sobrenatural.

A linguagem das portas requer o dom do discernimento, que vai além da intuição fundamentada no acúmulo de experiências. Além da inteligência contextual e da emocional. Discernimento é a capacidade de avaliar uma situação com uma sagacidade sobrenatural. É a percepção profética que enxerga além dos problemas e vislumbra possibilidades. Simplificando, é apanhar o que Deus lança na nossa direção.

Sinais que acompanham a Palavra

Antes de detalhar a linguagem das portas, quero lembrar você de que não interpretamos as Escrituras por meio de sinais; interpretamos os sinais pelas Escrituras. De modo geral, Deus usa os sinais para confirmar sua Palavra, sua vontade. Há exceções a essa regra? Claro. Afinal, Deus dita as regras. Mas as palavras que encerram o evangelho de Marcos estabelecem o precedente: "[...] com os sinais que [...] acompanhavam [a Palavra]" (16.20).

Gostaríamos que dissesse "sinais que precediam a Palavra", certo? Seria tão mais fácil. Mas não é essa a sequência da fé nas Escrituras. Pense na divisão do mar Vermelho e do rio Jordão. Esses sinais deram aos israelitas uma incrível confiança de que Deus abriria caminho onde não havia caminho algum. Mas *primeiro* Moisés precisou estender o cajado. *Primeiro* os sacerdotes tiveram de pisar no rio. Só então Deus dividiu as águas. Fé é dar o primeiro passo antes que Deus revele o segundo.

> Fé é dar o primeiro passo antes que Deus revele o segundo.

A nossa primeira tentativa de implantar uma igreja foi um fracasso, e já compartilhei algumas dessas duras lições em outros livros, mas permita-me preencher algumas lacunas. Na esteira desse insucesso, eu estava lendo uma revista do ministério quando deparei com a publicidade de um ministério paraeclesiástico em Washington, DC. Não faço ideia da razão por que parei de folhear a revista, mas aquele anúncio prendeu a minha atenção. Uma fresta se abrira na porta para Washington. Dei um telefonema, que levou a uma visita, que levou a um salto de fé de 950 quilômetros, de Chicago até Washington, que levou aos últimos vinte anos de ministério na capital federal.

Soa muito fácil e tranquilo, mas foi uma decisão angustiante. Lora e eu fomos criados na região de Chicago, de modo que ali era tudo o que conhecíamos. Mais, Michael Jordan ainda jogava para o Chicago Bulls! Por que haveríamos de querer mudar? Não tínhamos a menor vontade de deixar Chicago, mas nada fecha uma porta mais rápido que o fracasso. Na verdade, ele bate a porta com violência. E às vezes ainda estamos com os dedos no batente.

Olhando para trás, penso que uma tentativa frustrada era o único jeito de Deus nos colocar onde queria que estivéssemos. Era nada menos que uma demonstração de sua graça. E sou igualmente grato por aquela porta fechada, como sou por qualquer uma das portas que ele tem aberto na minha vida. Foi a porta fechada que levou à aberta, e é assim que costuma acontecer.

Agora, eis o resto da história. A nossa mudança para Washington foi uma decisão difícil, de modo que eu quis que Deus nos desse um sinal claro. Sabe, algo simples como um avião da esquadrilha da fumaça fazendo piruetas no céu para escrever *Washington* no horizonte! Parte da razão pela qual eu desejava um sinal era porque nós não tínhamos um lugar onde morar ou um salário garantido. Mas não recebemos sinal algum senão *depois* de tomarmos a decisão de nos mudarmos. Então, e só então, Deus nos deu o sinal.

> Deus é gracioso o bastante para nos dar confirmações.

No dia em que tomamos a decisão, fui até a nossa caixa de correio no *campus* da Universidade Trinity International e descobri um cartão-postal endereçado a mim. Na frente ele dizia: "Seu futuro está em Washington". Sem brincadeira! Por que a Universidade George Washington me mandou aquele cartão ainda é um mistério, mas tê-lo nas mãos logo depois de tomar uma importantíssima decisão como aquela se qualifica como sinal a acompanhá-la. Deus não abriu a porta apenas: ele estendeu um tapete vermelho.

É da natureza humana tentar prever o que envolverá as decisões difíceis, por isso Deus é gracioso o bastante para nos dar confirmações. Ele sabia que eu duvidaria de mim mesmo nos primeiros dias da nossa implantação de igreja em Washington, de modo que me enviou um cartão-postal, o qual se tornou uma recordação espiritual a me lembrar da fidelidade de Deus, mesmo no fracasso.

Cinco testes

Em se tratando de discernir a vontade de Deus, às vezes eu gostaria que lançássemos sortes como fizeram os discípulos na escolha do substituto de Judas. Seria bem mais rápido e fácil do que tentar discernir a voz de Deus, não seria? Mas então a intimidade ficaria fora da equação, e ela é o objetivo final. Discernir a vontade de Deus envolve muito mais do que satisfazê-la.

> A vontade de Deus deveria fazer o seu coração bater descompassado.

Discerni-la tem a ver com conhecer seu coração, e isso só acontece a partir do momento em que você se aproxima o suficiente para poder ouvi-lo sussurrar.

Aqui estão cinco testes que utilizo ao discernir a vontade e a voz de Deus.

O primeiro é o *Teste do arrepio*. Os cristãos celtas tinham um nome curioso para o Espírito Santo. Chamavam-no de *An Geadh-Glas*, que significa "o Ganso Selvagem".[12] Amo essa imagem e

---

[12] What Does It Mean...?, **This Is Church.com**. Disponível em: <www.thisischurch.com/christian_teaching/celticchristianity.htm>. Acesso em: 8 fev. 2018, 15:59:26.

suas implicações. Há um elemento de imprevisibilidade em relação a quem ele é e o que faz. E não consigo pensar em uma melhor descrição para o ato de levar uma vida dirigida pelo Espírito — é como perseguir um ganso selvagem sem jamais saber para onde ele irá.[13] A maior parte do tempo, não temos ideia de para onde estamos indo, mas, desde que acompanhemos o Espírito, chegaremos aonde Deus nos quer. Isso pode ser um pouco irritante às vezes, mas também é incrivelmente emocionante. A ponto de causar arrepios, na verdade. Mas não quaisquer arrepios, porque patrocinados pelo Espírito![14]

A vontade de Deus deveria fazer o seu coração bater descompassado. Você com certeza precisa submeter o sentimento ao filtro das Escrituras, mas o mover do Espírito Santo costuma causar arrepios.

Com certeza, não estou sugerindo que você só faça coisas que o encham de entusiasmo. Pôr o lixo para fora não me provoca arrepios. Nem lavar a louça. Mas essas tarefas precisam ser feitas. O que estou sugerindo é que, ao correr atrás de um sonho do tamanho de Deus ou de um chamado ordenado por Deus, você deveria se arrepiar de vez em quando. A vontade de Deus não é trabalho enfadonho. Lembre-se, quando você se deleitar no

---

[13] A tradução aqui de "Wild Goose chase" remete ao sentido da expressão por volta do ano de 1600, quando se referia à corrida de cavalos em que os cavaleiros seguiam seu líder, mantendo-se em formação semelhante à dos gansos selvagens durante o voo. [N. do T.]

[14] Em inglês, como no italiano, "arrepios" se traduz por expressão que alude à similaridade da pele arrepiada com as protuberâncias existentes na pele do ganso ("goose bumps" e "pelli d'oca", respectivamente). O autor chama a atenção para o fato de os arrepios provocados por essa emoção serem sobrenaturais, posto que inspirados pelo Espírito, sendo, portanto, "wild goose bumps", não meros "goose bumps". [N. do T.]

Senhor, então Deus concederá os desejos do seu coração. Como um jogo de quente ou frio, esses desejos se tornarão cada vez mais quentes quanto mais perto você chegar da boa, agradável e perfeita vontade de Deus.

O segundo teste é o *Teste da paz*. O apóstolo Paulo disse: "Que a paz de Cristo seja o juiz em seu coração [...]" (Colossenses 3.15). Significa que você não sentirá medo ou estresse? Nada disso. Significa apenas que você sabe, no fundo do coração, qual é a coisa certa a fazer. Trata-se de uma paz que ultrapassa literalmente o entendimento.[15] Não é apenas paz no meio da tempestade; é paz na perfeita tempestade. Em vez de se apavorar a ponto de perder a cabeça, você tem uma confiança santa que contraria todas as expectativas.

O terceiro teste é o *Teste do conselho sábio*. Não discernimos a vontade de Deus sozinhos. Quando tentamos por nós mesmos chegar aonde Deus nos quer, em geral nos perdemos. O meu conselho? Cerque-se de pessoas que já passaram por isso; que tirem o melhor de você; que tenham permissão para falar a verdade em amor. Em poucas palavras, busque conselhos sábios.[16] Esse teste o poupará de algumas provações e o tirará de outras. E, por causa da nossa capacidade infinita de nos enganarmos, ele serve como um importante sistema de controle.

O quarto teste é o *Teste de loucura*. Por definição, um sonho do tamanho de Deus está sempre além das nossas capacidades, além da nossa lógica e além dos nossos recursos. Ou seja, não podemos realizá-lo sem auxílio divino. De acordo com a minha experiência, as ideias de Deus costumam parecer malucas. Foi o que senti quando ele originariamente nos deu uma visão de um

---

[15] V. Filipenses 4.7.
[16] V. Provérbios 15.22.

café em Capitol Hill. Para ser franco, não tínhamos nada que nos meter no negócio de cafeteria. Mas a visão era louca o bastante para ser de Deus.

Não sei qual é a vontade de Deus para a sua vida e, claro, você precisa fazer o dever de casa. Mas fé é disposição para parecer maluco. Noé parecia meio louco construindo um barco. Sara parecia meio louca comprando produtos de gestante aos 90 anos. Os magos pareciam meio loucos seguindo uma estrela até algum lugar remoto. Pedro parecia meio louco saltando de dentro de um barco no meio do mar da Galileia. Se você não se dispõe a parecer meio louco, é porque só pode estar louco. E, quando se trata da vontade de Deus, a loucura se transforma em incrível loucura!

O quinto e último teste tem um nome extenso. Chamo-o de *Teste do livre de e chamado para*, e requer uma explicação mais longa.

Um dos meus heróis espirituais morreu muitos anos antes de eu nascer. Peter Marshall, tendo emigrado da Escócia para os Estados Unidos, serviu dois períodos como capelão do Senado norte-americano e foi pastor da Igreja Presbiteriana New York Avenue em Washington, DC, apelidada de "a igreja dos presidentes". Como acontecia no caso de Marshall, Washington é a minha área de atuação ministerial. De modo que encontrei inspiração extraordinária em *A Man Called Peter*, livro e filme sobre a vida e o ministério de Marshall. Mas a maneira pela qual ele foi parar na igreja presbiteriana da New York Avenue é particularmente instrutiva.

Em 1936, Marshall foi convidado pelo comitê de seleção da Igreja Presbiteriana New York Avenue para ser seu pastor. A resposta dele revela muita coisa: "Ainda não estou pronto para as responsabilidades e a distinção que me seriam atribuídas como ministro da Igreja New York Avenue. Sou jovem demais, imaturo demais, carente demais de conhecimento, experiência, sabedoria e habilidade para uma posição tão elevada como essa. Só o tempo revelará se algum dia possuirei tais qualidades de mente e coração que seu púlpito requer".[17] No entanto, foi mais que a humildade a impedi-lo de aceitar a proposta. A oportunidade o atraíra, mas concordara em pastorear outra igreja e não se sentia livre dessa responsabilidade. Em outras palavras, o momento não era apropriado.

A vontade de Deus é como uma fechadura de dois pinos. O primeiro recebe o nome de "chamado para". O segundo, "livre de". Quando você está "livre de" uma responsabilidade atual, mas não sabe ao certo que está sendo "chamado para", pode ter a impressão de uma terra de ninguém espiritual. Não sabe ao certo o que fazer a seguir. Até Deus dar mais instruções, eu sugeriria fazer o que você o ouviu falar da última vez.

Marshall se viu na situação oposta. Na verdade, sentiu-se "chamado para" a Igreja Presbiteriana New York Avenue, mas não "livre de" sua então atual responsabilidade. Um homem menos digno teria simplesmente agarrado a oportunidade, mas ele manteve sua integridade dizendo não porque a situação não satisfazia os critérios desse teste duplo. Um ano mais tarde, tendo o comitê de seleção falhado em encontrar outro candidato do mesmo nível, apresentaram-lhe a proposta outra vez. Marshall continuava se sentindo "chamado para" e, dessa vez, também se sentia "livre de", razão pela qual aceitou a oferta, e o resto é história.

A chave de Davi

Uma das promessas das Escrituras pela qual oro com mais frequência é Apocalipse 3.7, e quero deixar claro já de início que se

---

[17] Peter Marshall: A Man Called Peter. Disponível em: <www.kamglobal.org/BiographicalSketches/petermarshall.html>. Acesso em: 9 fev. 2018, 10:54:46.

trata de um pacote. Você não pode orar por portas abertas sem aceitar as portas que estão fechadas. Afinal, uma coisa costuma levar à outra. Em certo sentido, a porta fechada se equipara a "livre de" e a porta aberta, a "chamado para".

> "Estas são as palavras daquele que é santo e verdadeiro, que tem a chave de Davi. O que ele abre ninguém pode fechar, e o que ele fecha ninguém pode abrir". (Apocalipse 3.7)

Amo a abertura emblemática da série de televisão *Agente 86*. Maxwell Smart, também conhecido como agente 86, atravessa uma série de portas para chegar ao ultrassecreto quartel-general do CONTROLE em Washington, DC. Ele passa por portas de elevador e percorre um corredor com portas vaivém, de correr e de cela de cadeia antes de finalmente entrar em uma cabine telefônica com uma porta camarão. Pelos meus cálculos, Maxwell Smart entra por seis portas antes de chegar a seu destino.

Creio que a vontade de Deus costuma funcionar assim. Atravessamos uma porta e pensamos que chegamos ao nosso destino final, mas na verdade é uma porta que leva a outra porta que leva a mais outra porta.

> Você não pode basear todas as suas decisões na questão do momento oportuno.

Deixe que eu me divirta um pouco com isso. Em um dia da primavera de 2006, resolvi trabalhar na minha lista de objetivos de vida. Estava lendo uma biografia de Martinho Lutero, a qual provocou o Objetivo de Vida nº 106: visitar a Igreja do Castelo de Wittenberg, Alemanha, onde Martinho Lutero afixou suas 95 teses.

Já no dia seguinte, recebi o telefonema de um perfeito estranho convidando-me para falar em um simpósio internacional sobre o futuro da Igreja, em Wittenberg, Alemanha, no Dia da Reforma! Está brincando comigo? Foi desses momentos em que você diz "Vou orar a respeito", seguido de uma pausa bem curta e logo depois um enfático "Sim!".

Você não pode basear todas as suas decisões na questão do momento oportuno, mas o tempo divino é uma das maneiras pelas quais Deus tem de revelar sua vontade. O convite para falar naquele evento foi uma porta de oportunidade, um dos meus tipos prediletos de porta. E é difícil detalhar o efeito dominó dessa única porta, mas vou tentar.

Levei uma pessoa da nossa equipe comigo, John Hasler, que acabou se mudando para a Alemanha e abrindo o café da nossa igreja em Berlim com a esposa, Steph. A nossa viagem foi a chave catalisadora. Sem ela, não tenho certeza de que esse sonho teria sido concebido.

Também conheci um escritor chamado George Barna e sua agente, Esther Fedorkevich. Avance rápido para dois anos mais tarde. Não creio que tenha tido uma única conversa com Esther depois daquela viagem, mas aconteceu de ela ouvir uma história sobre Honi e o círculo de oração, que compartilhei em um dos meus sermões, uma vez que seu irmão e sua irmã, por coincidência, frequentam a nossa igreja. No dia seguinte, eu me perguntava se a história de Honi poderia ser o embrião de um livro, quando Esther me ligou e disse:

— Mark, esse é o seu próximo livro. — Ela negociou o acordo para *A força da oração perseverante* e de todos os livros que vieram depois.

Pensei que fosse à Alemanha por ir à Alemanha, mas uma porta levou a outra, que levou ao Café Prachtwerk, o equivalente ao nosso Ebenezers em Berlim, Alemanha.

Um dos modos mais misteriosos e milagrosos pelos quais Deus revela sua soberania é abrindo e fechando portas. As Escrituras são a chave das chaves, mas há outra chave mencionada nessa promessa: a chave de Davi. Trata-se de uma alusão à chave que um homem chamado Eliaquim usava sobre os ombros como símbolo de autoridade. Na condição de administrador do palácio de Davi, Eliaquim tinha livre acesso a tudo. Não havia porta no palácio que ele não fosse capaz de abrir ou fechar, trancar ou destrancar. Eliaquim é um tipo de Cristo, que agora tem nas mãos a chave de Davi. E Jesus se dedica ao ramo de abrir portas impossíveis e conduzir-nos a lugares impossíveis. É um dos seus modos de sussurrar.

E com outros propósitos

Um dos momentos mais assustadores da minha vida como líder foi o dia em que recebi uma mensagem de voz me informando de que a escola pública de Washington onde a nossa igreja se reunia aos domingos seria fechada. Apenas dois anos antes, eu me afastara de uma implantação de igreja fracassada e estava com medo de que pudesse acontecer outra vez.

Na época, a National Community Church era um amontoado de gente bastante heterogêneo. A nossa receita chegava a 2 mil dólares por mês, e 30 pessoas apareciam em um domingo bom. E agora estávamos prestes a nos tornar uma igreja sem teto. Verifiquei uma dúzia de opções em Capitol Hill, mas nem uma única porta se abriu. Até que um dia, por impulso, entrei nas salas de cinema da Union Station. Foi assim que descobri que aquela rede de salas acabara de lançar uma promoção em nível nacional chamada programa VIP com o intuito de incrementar a utilização de suas salas no período que passavam apagadas, como nas manhãs de domingo, por exemplo. Deus não só abriu uma porta, como também estendeu o tapete vermelho.

Quando saí da Union Station aquele dia, comecei a ler um livro sobre a história do lugar. A primeira sentença da primeira página que abri dizia:

> Se, em 28 de fevereiro de 1903, ao assinar "um ato para prover o distrito de Columbia de uma estação central, e com outros propósitos", o presidente Theodore Roosevelt soubesse que "outros propósitos" a estação abrigaria um dia, talvez ele ao menos suspirasse antes de assinar.[18]

"E com outros propósitos."

Essa sentença saltou da página e calou no meu espírito. Teddy Roosevelt pensou que estivesse construindo uma estação de trens, e estava. Mas também o prédio de uma igreja, financiado inteiramente pelo governo federal.

Durante treze anos, as salas de cinema da Union Station serviram de lar para a National Community Church, e esse foi um período incrível. Poucas igrejas contam com as facilidades que a Union Station nos propiciava — praça de alimentação com 40 restaurantes, garagem e sistema de metrô, com estações espalhadas por toda a cidade, que deixava as pessoas bem à nossa porta da frente. E então Deus fez tudo de novo. Recebi um telefonema em setembro de 2009 informando-me de que as salas de cinema fechariam depois de

> Deus tem razões além da razão humana. E também recursos além dos recursos humanos!

---

[18] HIGHSMITH, Carol M.; LANDPHAIR, Ted. **Union Station:** A History of Washington's Grand Terminal. Washington, D C: Archetype, 1998. p. 15.

uma semana! Tínhamos sete dias para transferir uma congregação que atingira os milhares.

A princípio me angustiei com essa porta fechada. Perguntei-me com toda a sinceridade se os nossos dias de glória não tinham ficado para trás. Contudo, se Deus não fechasse essa porta, não creio que teríamos começado a procurar instalações próprias. Hoje somos donos de meia dúzia de propriedades avaliadas aproximadamente em 50 milhões de dólares, graças a uma porta fechada. Deus tem razões além da razão humana. E também recursos além dos recursos humanos!

Da mesma maneira que agradeceremos a Deus pelas orações não respondidas tanto quanto pelas respondidas, um dia agradeceremos pelas portas fechadas tanto quanto pelas abertas. Não gostamos de portas fechadas que batem na nossa cara, e muitas vezes não as compreendemos. Mas as portas fechadas são expressões da graça preveniente de Deus.

Às vezes, as portas fechadas aparecem na forma de fracasso. Às vezes, são impressões no Espírito que nos impedem de atravessá-las de qualquer forma. De um jeito ou de outro, Deus às vezes mostra o caminho entrando na frente e obstruindo a passagem.

Uma impressão no Espírito

Em sua segunda viagem missionária, o apóstolo Paulo tinha toda intenção de ir à Bitínia, província romana na Ásia Menor. É provável que tivesse comprado passagens não reembolsáveis, mas Deus fechou a porta. Para ser mais específico, Paulo e seus companheiros foram "impedidos pelo Espírito Santo de pregar a palavra na província da Ásia" (Atos 16.6). Essa impressão em seu espírito foi seguida pela visão de um macedônio que dizia: "Passe à Macedônia e ajude-nos" (v. 9).

O que nos faz pensar que o nosso discernimento da vontade de Deus será diferente do de Paulo? Claro, temos uma revelação mais completa de Deus, graças em grande parte a Paulo, que escreveu um bom pedaço do Novo Testamento. Mas as Escrituras não nos levam da Bitínia à Macedônia. O Deus que fechou as portas naquela época também as fecha hoje, e crer em algo menor que isso é subestimar a literalidade das Escrituras.

Como mencionei, no último ano da faculdade, o meu lugar de sussurro era a galeria da capela do Central Bible College. Como qualquer veterano que vê a formatura se aproximar, eu tentava imaginar o que aconteceria depois disso. Foi quando o pastor que por acaso era meu orador predileto na capela me ofereceu o emprego dos sonhos. Senti-me tentado a dizer sim de imediato. Por que não haveria de aceitar sua oferta, a minha única oferta? Uma tarde, no entanto, orando sobre o assunto enquanto andava de um lado para o outro da galeria, senti uma estranha impressão no meu espírito. Dizer não ao que no papel parecia uma situação perfeita foi uma das mais difíceis decisões que tomei naquele momento na minha vida.

> Deus fecha portas para nos manter longe de tudo que é menos que seu melhor.

Menos de um ano depois, o mesmo pastor precisou se afastar em virtude de um fracasso moral. Eu teria sobrevivido ao problema? Estou certo de que a graça de Deus me ajudaria a atravessá-lo como tem ajudado em tudo mais. No entanto, Deus fechou a porta para a "Bitínia" sem deixar dúvidas a respeito — com uma impressão muito nítida no meu espírito.

É difícil definir, difícil discernir essa impressão no espírito. É um sentimento de inquietação que não se consegue ignorar.

Um sexto sentido de que algo não vai muito bem. Uma ausência de paz de espírito. A impressão no espírito é o sinal vermelho de Deus, e não lhe obedecer pode o colocar no caminho de uma grande confusão.

Deus fecha portas para nos proteger.

Deus fecha portas para nos redirecionar.

Deus fecha portas para nos manter longe de tudo que é menos que seu melhor.

Para Paulo, a Bitínia era o plano A, de modo que a Macedônia deve ter lhe parecido um plano B. É provável que ele o interpretasse como um desvio, mas que o levou a um encontro divino com uma mulher chamada Lídia, a primeira europeia a se converter ao cristianismo.[19] Desvios como esse caracterizaram todas as viagens missionárias de Paulo. Lembra-se da forte tempestade que açoitou o navio em que ele viajava por catorze dias, antes de afundá-lo na ilha de Malta?[20] Foi um naufrágio? Ou uma ordem divina disfarçada? De que outra maneira Paulo se encontraria com Públio, governador de Malta, ou teria curado seu pai enfermo?[21]

A coincidência sugere um naufrágio.

A providência requer a agenda divina.

Lembra-se do antigo ditado "Não julgue um livro pela capa"? O mesmo se poderia dizer das nossas circunstâncias. O que percebemos como desvios e atrasos costumam ser maneiras de Deus estabelecer o cumprimento de sua vontade. E em geral tudo começa com uma porta fechada.

---

[19] V. Atos 16.11-15.
[20] V. Atos 27.
[21] V. Atos 28.7,8.

Ainda não

Anos atrás, Lora e eu saímos à procura de uma casa em Capitol Hill. A primeira em que moramos na região se parecia com o compactador de lixo 3263827 na Estrela da Morte, que quase esmagou Luke Skywalker, Han Solo, Chewbacca e a princesa Leia ao se fechar sobre eles. Com os nossos filhos crescendo sem parar, a casa geminada de 4,5 metros de largura dava a impressão de se tornar cada vez mais estreita. Foi quando encontramos a casa dos nossos sonhos a menos de uma quadra de distância, e com 60 centímetros inteiros a mais de largura!

Resolvemos oferecer um valor bem abaixo do preço pedido na nossa proposta, mas sentimos que era uma oferta justa, que coincidia com nosso teto financeiro. Assim, essa primeira oferta era também a nossa oferta final e funcionaria como uma porção de lã. Com o mercado imobiliário defasado e o tempo de disponibilidade no mercado daquela casa crescendo, pensamos que fecharíamos o negócio. Pensamos errado. O vendedor não aceitou a oferta e, por mais que desejássemos a casa, entendemos isso como um sinal para tirá-la da cabeça. Ficamos tão decepcionados que desistimos de procurar outros imóveis.

Antes que me delongue mais, deixe-me explicar o que quero dizer com "porção de lã". O nosso precedente bíblico está em Gideão, que deixou uma porção de lã exposta a noite inteira no local onde ele costumava malhar o trigo.[22] Gideão não se sentia seguro do que Deus queria que ele fizesse, de modo que tentou confirmar seu chamado estendendo essa porção de lã no chão durante a noite. Em seguida, pediu a Deus que mantivesse o chão seco ao redor da lã, mas permitindo que ela ficasse molhada do orvalho no dia seguinte. Depois inverteu o teste, pedindo a Deus para manter a lã

---

[22] V. Juízes 6.36-40.

seca e o chão molhado do orvalho. Nas duas ocasiões, Deus atendeu ao pedido de Gideão e o honrou graciosamente, confirmando o chamado em seu coração e em sua mente.

Existe toda uma discussão tentando definir se Gideão deveria ter agido dessa maneira. A minha opinião? Ele o fez em espírito de humildade, e Deus o honrou, respondendo-lhe nas duas ocasiões. Penso que as porções de lã levam o carimbo da aprovação divina, mas quero fazer algumas advertências e dar algumas instruções.

Primeiro, *ponha suas motivações à prova*. Se não o fizer, pode acabar pondo Deus à prova. E essa não é uma boa ideia. Certifique-se de pedir pelas razões certas. Você está pronto a obedecer, seja qual for a resposta de Deus? A porção de lã é só um pretexto? Se o seu objetivo for procurar uma resposta fácil que o poupe de esforços, boa sorte. A força motriz deve ser o desejo genuíno de honrar a Deus, aconteça o que acontecer.

Segundo, *obediência tardia é desobediência*. Certifique-se de que a porção de lã não é uma tática protelatória. Se envolver um assunto sobre o qual Deus já se manifestou, não lhe provoque a paciência. Certifique-se de que a porção de lã não é um substituto para a fé. Lembre-se, fé é dar o primeiro passo antes que Deus revele o segundo. Há um tempo para buscar a vontade de Deus, mas há um tempo para agir com base nela também.

Terceiro, *estabeleça parâmetros específicos em oração*. Sem definir a porção de lã, fica fácil produzir resultados falsos. Observe a especificidade da porção de lã de Gideão. E não desconsidere o fato de que ele requereu uma intervenção divina.

De volta à nossa casa dos sonhos. Mais ou menos um ano após a nossa oferta ter sido rejeitada, passávamos em frente da casa que tentáramos comprar, quando Lora disse:

— Você tem a impressão de que essa casa é como o grande peixe que escapou do nosso anzol?

Não nos apegáramos à casa. Na verdade, passávamos de carro por ela quase todos os dias sem nem pensar no assunto. Mas esse comentário casual deve ter sido uma palavra profética, porque na manhã seguinte havia uma placa de *Vende-se* na frente da casa outra vez.

Posso dizer o óbvio? Às vezes, os sinais que Deus nos dá são literais, como uma placa de *Vende-se*! Não subestime o óbvio. Lora e eu não sabíamos que a casa nunca fora vendida; ela apenas fora retirada do mercado depois de 252 dias em que ficou para vender. Graças à sincronia dos acontecimentos todos, tive o pressentimento de que Deus talvez estivesse aprontando alguma. Talvez seu *não* um ano antes na verdade fosse um *ainda não*. Por isso, resolvemos estender a nossa porção de lá mais uma vez.

> Colocamos um ponto final quando Deus põe uma vírgula.

Apesar de o proprietário e o valor de venda continuarem os mesmos, fizemos a mesma oferta, aquela que ele recusara antes. Não queríamos ofender o vendedor, mas dissemos ao nosso corretor que era a nossa oferta final. Não só o vendedor a aceitou, como, em virtude de uma recuperação do mercado imobiliário, vendemos a nossa casa por muito mais dinheiro do que receberíamos um ano antes.

Costumamos pensar que, quando Deus fecha uma porta, essa é sua resposta definitiva. Colocamos um ponto final quando Deus põe uma vírgula. Achamos que é um *não*, mas na verdade é um *ainda não*. É fácil discernir as duas coisas? Absolutamente não. É difícil saber quando ficar esperando se apegar a um sonho e quando abrir mão dele. Eis, no entanto, um princípio básico: se sentir que Deus diz não, devolva-lhe o sonho com a mão aberta. Isso costuma exigir mais coragem do que manter o apego. Todavia, se Deus não liberar você, mantenha-se firme.

Conversa de jumenta

Um dos episódios mais estranhos das Escrituras envolve uma jumenta falante, e espero que a lição não nos passe despercebida. Se Deus pode falar por intermédio de uma jumenta, pode falar por intermédio de qualquer coisa!

Perdoe-me por sugerir uma coisa dessa, mas me pergunto se a jumenta teria sotaque britânico. Pelo menos é assim que imagino quando leio a história. "[...] 'Que foi que eu fiz a você, para você bater em mim três vezes?' ", pergunta a jumenta (Números 22.28). Amo a eloquência dessa jumenta! E adoro que Balaão responda sem hesitar, como se fosse a coisa mais normal do mundo. "[...] 'Você me fez de tolo! Quem dera eu tivesse uma espada na mão; eu a mataria agora mesmo' " (v. 29).

Cá entre nós, se você tem uma jumenta falante, a última coisa que há de querer é matá-la. Ela é a sua galinha dos ovos de ouro! Transforme-a em um espetáculo itinerante ou na atração principal de um *show* em Las Vegas! Faça o que bem entender, só não mate a jumenta falante!

Adoro o fato de ser a jumenta a mais racional dos dois. "[...] 'Não sou sua jumenta, que você sempre montou até o dia de hoje? Tenho eu o costume de fazer isso com você?' " (v. 30). A jumenta fala como um advogado relatando

> Deus o ama demais para o deixar precipitar--se para dentro dos problemas.

os acontecimentos diante do júri. Como o profeta reage? Ele é reduzido a admitir que ela tem razão em uma só palavra: "Não". Imagino que tenha resmungado essa palavra de cabeça baixa.

Como Balaão, frustramo-nos quando surge um obstáculo no caminho para onde desejamos chegar. Frustramo-nos com cinco minutos de atraso antes de entrar em aviões que nos transportarão a velocidades inimagináveis aos nossos antepassados. Em poucas palavras, queremos o que queremos quando queremos, e em geral é *agora*. Acontece que às vezes o obstáculo *é* o caminho! Deus se intromete para nos mostrar o caminho.

O anjo que detém Balão de repente diz: "[...] 'Eu vim aqui resistir a você porque seu caminho é irresponsável diante de mim' ".[23]

"Irresponsável" no hebraico é *yarat*[24], e é um antigo equivalente da atual direção inconsequente. É viajar tempo demais com o farol de neblina ligado. É dirigir a 50 km/h acima do limite de velocidade nas curvas em *S* da Pacific Coast Highway na Califórnia.

Não se surpreenda se Deus diminuir a sua velocidade.

Não se surpreenda se Deus se colocar no caminho.

Por quê? Porque ele o ama demais para o deixar precipitar-se para dentro dos problemas.

Se a jumenta de Balaão nos ensina alguma coisa, é isto: Deus é capaz de usar qualquer coisa para cumprir seus propósitos, em qualquer lugar, a qualquer tempo, de qualquer maneira. E ele tem particular predileção por usar coisas loucas para confundir as sábias, e frágeis para confundir as fortes.[25] Ou seja, todos atendemos a esses critérios!

O efeito dorminhoco

John Wimber, um dos fundadores do movimento Vineyard, era muito respeitado pela autenticidade espiritual. Para a maioria de

---

[23] V. 32, tradução livre da *New International Version*.
[24] **Bible Study Tools**, s.v. "yarat". Disponível em: <www.biblestudytools.com/lexicons/hebrew/nas/yarat.html>. Acesso em: 11 fev. 2018, 13:13:18.
[25] V. 1Coríntios 1.27.

nós, o caminho para a fé é cheio de voltas e reviravoltas. Mas a jornada de John me lembra um pouco à de Balaão.

Com 20 e poucos anos, ele se autoproclamava pagão. Não pensara em Deus duas vezes a vida inteira. Um dia, foi ao centro de Los Angeles tomar dinheiro emprestado de um traficante de drogas e cruzou com um homem-sanduíche cujo cartaz dizia: "Sou louco por Cristo". John achou aquilo a coisa mais idiota que já vira, digna de um jumento. Ao passar pelo homem, observou que o cartaz pendurado em suas costas perguntava: "E você, por quem é louco?". De alguma forma, os dizeres do cartaz plantaram uma semente em seu espírito.

Antes de revelar o resto da história, gostaria de compartilhar uma das maneiras miraculosas pelas quais o Espírito Santo age. Existe na psicologia um fenômeno chamado efeito soneca. Em termos gerais, a persuasão vai perdendo o efeito com o tempo. Por isso, os anunciantes tentam levar a uma tomada de decisão antes que a mensagem enfraqueça. Mas existem raras exceções a essa regra, e elas representam certo mistério para os pesquisadores. Eles não sabem ao certo como ou por que acontece, mas o poder de persuasão de algumas mensagens na verdade aumenta com o tempo. Penso que o evangelho seja o exemplo máximo disso, pelo que cabe ao Espírito Santo todo o crédito. Ele consegue colher sementes plantadas décadas antes, ou trazer de novo à tona ideias localizadas nos recessos profundos do nosso subconsciente.

> Deus pode falar por intermédio de qualquer pessoa, de qualquer coisa.

Muitos anos depois do incidente com o homem-sanduíche, ainda muito cético, John Wimber compareceu a um estudo bíblico com a esposa. De repente, ela se pôs a chorar e a confessar seus pecados para o grupo inteiro. John ficou enojado com tamanha exibição de emoção e pensou: *Essa é a coisa mais idiota que já vi. Eu jamais agiria desse jeito.*[26] Foi quando lhe veio à mente um *flashback* do homem-sanduíche. Antes que se desse conta do que acontecia, John caiu de joelhos, soluçando e pedindo a Deus que também lhe perdoasse os pecados.

Correndo o risco de ofender alguém, confesso que não sou grande fã do evangelismo popularesco. Considero muito mais eficaz compartilhar a nossa fé no contexto de uma amizade. Mas sejamos humildes o suficiente para reconhecer que Deus pode falar por intermédio de qualquer pessoa, de qualquer coisa. Longe de mim dizer para Deus como fazer o trabalho dele. Afinal, ele fala por meio de jumentas, e ainda usa loucos como eu e você!

O elemento surpresa

Um rápido exame das Escrituras revela um Deus que dá a impressão de sempre aparecer no lugar certo, na hora certa. Seu momento é impecável, mas sua metodologia é imprevisível. Lembra-se das instruções que Jesus deu aos discípulos quando chegou a hora de celebrar a Páscoa?

> [...] "Ao entrarem na cidade, vocês encontrarão um homem carregando um pote de água. Sigam-no até a casa em que ele entrar, e digam ao dono da casa: O Mestre pergunta: Onde é o salão de hóspedes no qual poderei comer a Páscoa com os meus discípulos? Ele lhes mostrará uma ampla sala no andar superior, toda mobiliada. Façam ali os preparativos".
> (Lucas 22.10-12)

---

[26] **DEERE**, Jack. *Surpreendido com a voz de Deus: como Deus fala hoje por meio de profecias, sonhos e visões.* São Paulo: Vida, 1998.

Mesmo lendo com atenção, isso não parece pista de caça ao tesouro em gincana de adolescente?

E depois há as instruções que Jesus deu a Pedro na hora de pagar impostos:

> "[...] vá ao mar e jogue o anzol. Tire o primeiro peixe que você pegar, abra-lhe a boca, e você encontrará uma moeda de quatro dracmas. Pegue-a e entregue-a a eles, para pagar o meu imposto e o seu" (Mateus 17.27).

Esse precisa ser contado entre os mandamentos mais malucos contidos nas Escrituras. Parte de mim se pergunta se Pedro achou que Jesus estava brincando. Afinal, Pedro era pescador profissional. Pegara muito peixe na vida. Nenhum deles, sou capaz de apostar, com uma moeda dentro da boca. Ora, convenhamos, qual é a probabilidade de acontecer uma coisa dessa?

Aqui vão algumas observações:

Primeira: *Deus adora fazer milagres de diferentes maneiras*. Ele jamais se deixará reduzir a uma fórmula. No momento em que você achar que o compreendeu, ele lançará a você uma bola com efeito. Creia-me, não há necessidade de dizer a Deus como fazer o que ele faz. Você só precisa ouvir o que ele diz e então obedecer. E, se quiser vivenciar alguns milagres loucos e estranhos, tem de obedecer às sugestões insanas.

Segunda: *Deus ama nos surpreender quando e onde menos esperamos*. Quando o assunto era pesca, aposto que Pedro se considerava apto para ensinar a Jesus uma ou duas coisas. Afinal, o profissional era ele. A área da nossa maior competência é exatamente onde pensamos necessitar menos de Deus. Talvez seja onde mais precisamos dele.

Jesus poderia providenciar o pagamento dos impostos por Pedro de maneira bem mais convencional, mas que teria sido menos espantosa. Não sei muito bem o que é mais insano, uma jumenta falante ou um peixe cuspindo moedas pela boca! De um jeito ou de outro, não se trata de anomalias. São situações normais, e Deus continua tão imprevisível hoje quanto naquela época.

Como você lê a Bíblia? Como um livro de história? Ou como se ela fosse viva e eficaz? Você a lê como se Deus tivesse deixado de agir como antes? Ou acreditando que ele deseja fazê-lo de novo, e de novo, e de novo?

A maioria de nós lê a Bíblia da maneira errada, com baixas expectativas. Eu a leio com a seguinte convicção básica: se agirmos como as pessoas agiam na Bíblia, Deus fará o que fazia. Por quê? Porque ele é o mesmo ontem, hoje e sempre.[27] E vou um passo à frente: faremos "coisas ainda maiores do que estas" (João 14.12).

Precisamos ouvir menos a voz de Deus?

Precisamos de menos milagres?

Precisamos de menos dons?

Precisamos de menos sinais?

Precisamos de menos portas abertas e fechadas?

As respostas são não, não, não, não e não.

Possa Deus santificar as nossas expectativas de modo que sejam condizentes com as Escrituras. Que possamos orar com o mesmo tipo de expectativa que Billy Graham tinha quando visitou Epworth Rectory: "Oh, Senhor, faça de novo!".

Com o tempo, uma de duas coisas acontece: Ou a sua teologia se conformará à sua realidade e suas expectativas ficarão

---

[27] V. Hebreus 13.8.

cada vez menores até mal conseguir acreditar em Deus para coisa alguma, ou a sua realidade se conformará à sua teologia e as suas expectativas ficarão cada vez maiores, até poder acreditar em Deus para absolutamente tudo!

8

Sonhadores diurnos

A quarta linguagem: Sonhos

> "E isso tudo é apenas a borda de suas obras!
> Um suave sussurro é o que ouvimos dele."
> — Jó 26.14 — 2 parte

O *shake* de baunilha da rede de *fast-food* Chick-fil-A é um dos prazeres singelos da vida, e passar por ele sem parar parece um pecado de omissão. Por quê? Porque ele não é só sorvete: é um sonho de sorvete.[1] A ideia de montar um *fast-food* especializado em carne de frango, cujo consumo é incentivado por vacas na série de propagandas mais famosa da rede, ocorreu a Truett Cathy. Mas a ideia do sorvete de baunilha tem uma linhagem um pouco mais extensa. Ela remonta a um garoto escravo de 12 anos que viveu em uma ilha pequenina do oceano Índico.

Com mais de 28 mil espécies conhecidas, as orquídeas são uma das maiores famílias de plantas do mundo.[2] Todavia, um

---

[1] Icedream Cone, **Chick-fil-A**. Disponível em: <www.chick-fil-a.com/Menu-Items/Icedream-Cone>. Acesso em: 13 fev. 2018, 9:58:54.
[2] Orchidaceae, **Wikipedia**. Disponível em: <https://en.wikipedia.org/wiki/Orchidaceae>. Acesso em: 13 fev. 2018, 10:27:18.

único gênero produz frutos comestíveis: a baunilha. Subestimamos seu sabor e fragrância. Apesar de ser o condimento mais popular do Planeta, em 1841 o mundo produziu menos de 2 mil favas de baunilha, todas no México.[3] E, pelo fato de ser muito rara, ela virou moda.

"Francisco Hernández, médico do rei Filipe II da Espanha, chamou-a de droga milagrosa capaz de acalmar o estômago, curar a mordida de uma serpente venenosa, reduzir a flatulência e fazer que 'a urina flua admiravelmente'."[4] A princesa Anne da Áustria a bebia com chocolate quente. A rainha Elizabeth I a colocava no pudim. E Thomas Jefferson fez mais do que redigir a Declaração de Independência; ele escreveu a primeira receita de sorvete de baunilha.[5]

De volta ao garoto escravo de 12 anos. Na ilha de Réunion, cidade de Sainte-Suzanne, ergue-se a escultura de bronze de um órfão chamado Edmond. Pelos padrões de uma sala de aula, ele era analfabeto, mas foi capaz de solucionar um dos grandes mistérios botânicos do século XIX.

Em 1822, o proprietário de uma lavoura na ilha de Réunion recebeu algumas plantas de baunilha do governo francês. Só uma sobreviveu, e quase duas décadas mais tarde ela ainda não gerara frutos. O mesmo se repetiu em toda parte fora do México por trezentos anos. Só no final do século XX se descobriu que uma abelha verde chamada *Euglossa viridissima* era a peça-chave para

---

[3] ASHTON, Kevin. **A história secreta da criatividade**. Rio de Janeiro: Sextante, 2016.
[4] KRULWICH, Robert. The Little Boy Who Should've Vanished, but Didn't, Phenomena, **National Geographic**, June 16, 2015. Disponível em: <http://phenomena.nationalgeographic.com/2015/06/16/the-little-boy-who-shouldve-vanished-but-didnt/>. Acesso em: 13 fev. 2018, 10:52:57.
[5] ASHTON, Kevin. **A história secreta da criatividade**.

a solução desse quebra-cabeça. Sem essa polinizadora, ninguém fora do México conseguia fazer que as plantas florescessem — quer dizer, até Edmond realizar sua mágica.

Em 1841, Ferréol Bellier-Beaumont caminhava por sua lavoura com Edmond quando descobriu, para sua surpresa, duas vagens em sua baunilha! Edmond então revelou, em tom muito casual, que ele a polinizara manualmente. Descrente, Ferréol pediu uma demonstração, de modo que Edmond espremeu com delicadeza a antera cheia de pólen e o estigma receptor do pólen entre o polegar e o indicador. É o gesto retratado pela estátua de bronze de Sainte-Suzanne. Os franceses o chamam de *le geste d'Edmond*, que quer dizer "o gesto de Edmond".[6]

> Deus continua implementando seus planos e propósitos por meio de sonhos e visões.

Por volta de 1858, Réunion exportava 2 toneladas de baunilha. Por volta de 1867, aumentou para 20 toneladas. E, em 1898, para 200 toneladas. Réunion na verdade ultrapassou o México, tornando-se o maior produtor mundial de favas de baunilha.[7] E tudo isso se originou de um garoto de 12 anos chamado Edmond, responsável por polinizar manualmente um único caule de baunilha, a partir do qual uma indústria bilionária foi criada.

Todo sonho tem uma genealogia. Isso vale para o sorvete dos sonhos e vale para o seu sonho. Todos os nossos sonhos foram estabelecidos por aqueles que nos antecederam, e seguimos estabelecendo sonhos para quem vem depois. De modo que nossos sonhos são na verdade um sonho dentro de outro sonho.

---

[6] Ibid.
[7] KRULWICH, The Little Boy.

Somos redistribuidores de sonhos cuja origem remonta ao "Haja luz" (Gênesis 1.3). A criação foi o gesto original de Deus. A cruz é seu gesto de misericórdia. A ressurreição, seu gesto grandioso. E ele continua implementando os planos e propósitos que traçou por meio de sonhos e visões e mediante a obra do Espírito Santo.

A linguagem dos sonhos é a quarta linguagem do amor e também a língua franca de Deus. Não há dialeto que Deus fale com maior fluência ou frequência nas Escrituras. Sejam sonhos noturnos ou diurnos, Deus é seu doador.

Foi o sonho de Jacó em um lugar chamado Betel que mudou a trajetória da vida dele. Seu filho José interpretou dois sonhos que salvaram duas nações. O profeta Daniel interpretou um sonho que salvou os magos da Babilônia. O Messias foi salvo por um sonho que advertiu José e Maria de fugirem de Belém. Paulo teve a visão de um homem na Macedônia que levou o evangelho para a Europa. E, se você é seguidor de Jesus e não é judeu, a sua linhagem espiritual remonta a uma visão dupla: Cornélio teve uma visão de Pedro ao mesmo tempo que Pedro tinha uma visão de Cornélio.

Deus fala em sonhos com tanta regularidade que não costumamos ter problemas para interpretá-los. Lembra-se de quando ele ofereceu a Salomão o que este quisesse, uma carta branca? Foi em um sonho. Quando Salomão acordou, pediu um coração sagaz, cujo sentido literal é "um coração cheio de discernimento".[8] Acima de tudo, Salomão queria ouvir a voz de Deus. Esse gesto foi a gênese de ele se tornar o homem mais sábio da terra.

---

[8] V. 1Reis 3.9.

Imaginação do hemisfério direito do cérebro

Para compreender plenamente a linguagem dos sonhos, precisamos aprender um pouco de neuroanatomia. Não há nada mais misterioso e milagroso do que o 1,36 quilo de massa cinzenta alojado no interior do crânio humano. Em grande escala, o cérebro consiste em dois hemisférios que funcionam como processadores paralelos. Suas funções se cruzam e sobrepõem, graças ao corpo caloso que os conecta, mas o hemisfério esquerdo é a localização da lógica, ao passo que o direito, da imaginação.

Os neuroanatomistas mapearam regiões e sub-regiões responsáveis por uma ampla variedade de funções neurológicas. A amígdala processa a emoção, como verificamos na linguagem dos desejos. A zona parafacial, localizada dentro da medula oblonga, governa o sono de ondas lentas. O núcleo salivatório inferior é ativado assim que você põe os pés dentro do seu restaurante favorito. E o lobo parietal esquerdo é a razão pela qual você é capaz de compreender o que acaba de ler.

Justaponha tudo isso ao grande mandamento: "[...] 'Ame o Senhor, o seu Deus, de todo o seu coração, de toda a sua alma e de todo o seu entendimento' " (Mateus 22.37).

> O tamanho dos nossos sonhos de fato revela o tamanho do nosso Deus.

Amar a Deus de todo o seu entendimento inclui o córtex pré-frontal ventral medial? Essa é a parte do cérebro que nos habilita a achar as coisas engraçadas. A resposta óbvia: sim! Na verdade, as pessoas mais felizes, saudáveis e santas são aquelas que mais riem. Muito antes da neuroimagiologia, a Bíblia declarava que o riso faz bem como o remédio.[9]

---

[9] V. Provérbios 17.22.

Deus quer santificar o nosso senso de humor em conjunto com todos os outros aspectos e funções da nossa mente. Como é isso para a imaginação do hemisfério direito do cérebro? A resposta completa exigiria outro livro, mas a resposta condensada é: sonhos do tamanho de Deus. Afinal de contas, o tamanho dos nossos sonhos de fato revela o tamanho do nosso Deus.

Se cremos que foi Deus quem desenhou a mente humana, o que nos levaria a crer que ele não nos falaria por meio de todas as partes que a constituem? Seria possível até argumentar que cada característica singular da mente humana é uma faceta da imagem de Deus. Às vezes, ele fala na linguagem dos desejos empregando a amígdala. Às vezes, ele usa a voz da lógica, quando ela nos leva para onde ele nos quer. Deus com certeza fala por intermédio dos cinco sentidos, os quais estão conectados com o lobo parietal. E fala pelas lembranças do passado, bem como pelos sonhos do futuro.

Estive há pouco tempo em uma reunião em que Francis Collins, diretor dos National Institutes of Health, compartilhou descobertas preliminares de um estudo de dez anos sobre os circuitos cerebrais.[10] Três anos após o início do estudo, produziu-se o mesmo número de perguntas e de respostas. Os reconhecimentos de voz e visual, por exemplo, são mais misteriosos do que nunca. O mesmo vale para a maneira pela qual as lembranças são registradas e recuperadas. Mas o maior mistério de todos talvez seja a imaginação humana.

Subscrevo à escola de pensamento de que administramos o cérebro aprendendo o máximo que podemos sobre o máximo que podemos. Mas também acredito em um Deus que habita

---

[10] Francis Collins falou na reunião semianual da diretoria da National Association of Evangelicals em 9 de março de 2017.

nas sinapses do cérebro e fala conosco em nível de pensamentos, ideias e sonhos.

Cada pensamento disparado através dos nossos 86 bilhões de neurônios é um tributo ao Deus que nos entreteceu no ventre da nossa mãe. No entanto, quando temos um pensamento que é melhor que o nosso melhor pensamento no melhor dos nossos dias, ele talvez venha de Deus. Isso não o iguala às Escrituras, mas está um degrau acima da "boa ideia". É fácil diferenciar boas ideias de ideias divinas? Não, não é. De novo, mesmo o que percebemos como ideias de Deus deve ser cotejado com as Escrituras. Mas, quando Deus nos dá ideias que não cremos terem se originado em nós, precisamos tomar o cuidado de dar o crédito a quem de direito. E é nossa função levar esses pensamentos cativos e fazer que obedeçam a Cristo.[11]

Filme mental

Em 1956, Loren Cunningham era estudante, tinha 20 anos e viajou pelas Bahamas com um conjunto vocal. Certa noite, ele foi para a cama, dobrou o travesseiro debaixo da cabeça e abriu a Bíblia. Tinha o hábito de pedir a Deus que lhe falasse, mas o que aconteceu a seguir estava longe de rotineiro.

"De repente, havia um mapa do mundo diante dos meus olhos", contou Loren. "Só que o mapa estava vivo, se mexendo!"[12] Loren balançou a cabeça e esfregou os olhos, lembrando muito o que Edmundo e Lucy devem ter feito quando o quadro ganhou vida em *O Peregrino da Alvorada*. Loren comparou a experiência a um filme mental em que via ondas arrebentando nas

---

[11] V. 2Coríntios 10.5.
[12] YWAM History, **YWAM**. Disponível em: <www.ywam.org/wp/about-us/history/>. Acesso em: 13 fev. 2018, 18:34:43.

praias até que elas acabaram cobrindo os continentes. "As ondas se transformaram em jovens — garotos da minha idade e até mais novos — espalhados pela superfície de todos os continentes." Loren viu esse exército de jovens parado nas esquinas das ruas, do lado de fora dos bares, indo de casa em casa, a pregar o evangelho.[13]

Loren não sabia ao certo o significado da visão, mas ela haveria de se converter em uma das maiores organizações de envio de missionários do mundo, a Jocum — Jovens Com Uma Missão [Youth With A Mission, em inglês]. Mais de meio século depois, ultrapassa 18 mil o número de membros de equipes Jocum em 1.100 locais distribuídos por mais de 180 países.[14]

Esse tipo de visão talvez pareça um pouco incomum para algumas pessoas, mas não foi assim que Deus falou a Ezequiel junto ao rio Quebar, ou a Isaías depois que o rei Uzias morreu? O livro inteiro de Apocalipse é um filme gravado por João durante o período em que esteve exilado na ilha de Patmos. Não estou sugerindo que os nossos sonhos sejam iguais às Escrituras, obviamente. Afinal, essas visões fazem parte do cânon. Mas o que nos faz pensar que Deus não fala por meio do mesmo mecanismo, quando mais tendo dito que o faria? Sonhos e visões são provas de que vivemos nos últimos dias.

> "Nos últimos dias, diz Deus,
> derramarei do meu Espírito
> sobre todos os povos.

---

[13] CUNNINGHAM, Loren; ROGERS, Janice. **Pode falar, Senhor... Estou ouvindo**. Belo Horizonte: Betânia, 1985.

[14] About Us, **YWAM**. Disponível em: <www.ywam.org/wp/about-us/>. Acesso em: 14 fev. 2018, 16:35:04.

Os seus filhos e as suas filhas
 profetizarão,
os jovens terão visões,
os velhos terão sonhos." (Atos 2.17)

Sonhos e visões são o subproduto sobrenatural de estar cheio do Espírito de Deus, e profecia faz parte do pacote. Não só necessitamos discernir a voz de Deus por nós mesmos, como também pelos outros. Essa é uma definição de profecia, e não se surpreenda se ela for uma imagem mental.

Agora permita-me fazer uma observação importante. Os sonhos que Deus nos confere são para nós, mas nunca só para nós; são para todos os atingidos e inspirados por eles. Loren Cunningham seria a primeira pessoa a dizer que o sonho para a Jocum não tinha a ver com ele, mas com a equipe de 18 mil membros e as incontáveis pessoas que abraçaram a fé em Cristo.

> Os sonhos que Deus nos confere são para nós, mas nunca só para nós.

Se o seu sonho se tornar uma empresa, os seus empregados serão os beneficiários do sonho que Deus conferiu a você, bem como os consumidores que adquirirem os seus bens ou serviços. Isso é verdade, não importa o que você faça. Se você for médico, ou advogado, ou professor, não estudou medicina, direito ou obteve a licenciatura só para você. Foi em razão de cada paciente que você trata, de cada cliente que representa ou de cada aluno a quem ensina.

No seminário, fui assistir a uma produção teatral chamada *O sonho do fabricante de brinquedos*, que me influenciou profundamente graças à maneira imaginativa como representa o Criador como o fabricante de brinquedos. Eu não fazia ideia de quem era o responsável por isso até conhecer o produtor da peça, Tom

Newman, quase duas décadas depois e enfim poder lhe agradecer. Deus usou essa peça de uma maneira significativa na minha vida e pelo mundo afora. Ela acabou sendo encenada para uma plateia de 75 mil pessoas ao todo na antiga União Soviética, incluindo membros-chave da organização juvenil do Partido Comunista.[15] Sei que Deus usou a peça para provocar transformações em nível global, mas me sinto como seu principal beneficiário.

Uma das minhas convicções fundamentais é que a igreja deve ser o lugar mais criativo do Planeta. Acredito haver modos de ser igreja que ninguém pensou até hoje. E, como escritor e pregador, tento dizer coisas antigas de novas maneiras. Esses valores não foram gerados em um vácuo. Foram catalisados por uma ampla variedade de experiências, uma das quais foi *O sonho do fabricante de brinquedos*. E é isso que os sonhos têm de bonito. Você nunca sabe quando, ou onde, ou como seu sonho inspirará outra pessoa a perseguir o sonho dela — nem quem será essa pessoa. Só aquele que confere o sonho sabe essas coisas. Mas teremos muita gente a quem agradecer um dia por direta ou indiretamente ter inspirado os nossos sonhos.

Imagem mental

A National Community Church é hoje uma igreja com oito endereços, mas não foi essa a visão original. Com uma implantação de igreja fracassada no meu currículo, eu esperava um endereço único! Então Deus me deu uma visão na esquina da Fifth com a Rua F que mudou tudo. De maneira muito semelhante ao filme mental que Deus concedeu a Loren Cunningham, vi um mapa

---

[15] Toymaker's Dream Tours USSR, **The Forerunner**, December 1, 1988. Disponível em: <www.forerunner.com/forerunner/X0704_Toymaker_in_USSR.html>. Acesso em: 14 fev. 2018, 17:18:15.

do metrô com os olhos da mente. Pude visualizar a NCC pontilhando o mapa em cinemas perto das estações de metrô em toda a região de Washington, DC.

A primeira vez que tive essa visão de reuniões em múltiplos endereços, ou *multisites*, esse termo em inglês nem existia. Agora apostamos em 20 exemplos de *multisites* até o ano 2020, incluindo igrejas, implantações de igrejas, cafés e centros de sonhos. Não sei ao certo onde vamos parar, mas cada um desses exemplos tem uma genealogia cuja origem remonta a um sussurro na esquina da Rua Fifth com a F.

> Deus fala em sonhos, e um de seus dialetos são as imagens mentais.

Deus fala em sonhos, e um de seus dialetos são as imagens mentais. Descobri que isso é particularmente verdadeiro quando oro em favor de outras pessoas. Pode parecer místico, mas eu retrucaria que é bíblico.

Depois do caso amoroso de Davi com Bate-Seba, Deus o restaurou enviando um profeta para confrontá-lo. Se o profeta Natã fosse direto demais, imagino se Davi reagiria assumindo uma atitude defensiva. Em vez disso, Deus concedeu a Natã uma imagem verbal que funcionou como o cavalo de Troia. O profeta contou a história de uma ovelha, no que não há coincidência alguma, já que Davi fora pastor antes de ser rei. A história desviou dos mecanismos de defesa de Davi, tocou na parte do coração que só as histórias alcançam e resultou em um arrependimento irrestrito.

Natã usou uma imagem verbal pela mesma razão que Jesus falava em parábolas. A imagem verbal requer um pouco mais de tempo e um pouco mais de esforço para ser construída, mas poucas coisas são mais eficazes quando se trata de falar a verdade em amor.

Talvez por isso Deus fale em filmes e imagens mentais.

Meio maluco

No que diz respeito a sonhar acordado, já tive mais do que minha cota na vida. Quanto a sonhos durante o sono, creio que esteja abaixo da média. Raras vezes me lembro dos meus sonhos e, quando acontece, eles não fazem muito sentido para mim. Dito isso, fui recentemente desafiado por meu amigo Kurtis Parks, que me contou sobre um hábito seu de longa data de pedir para Deus lhe falar por meio dos sonhos.

Antes de integrar a equipe da NCC, Kurtis viajava e cantava em acampamentos e igrejas, ao mesmo tempo que mantinha um emprego durante o dia na área de entregas. Quando perdeu o emprego inesperadamente, ele ficou sem saber muito bem o que fazer para se arranjar. Uma noite, Kurtis pôs o problema em oração antes de dormir e sonhou que estava liderando a adoração de uma igreja em Charlottesville, Virgínia. Na manhã seguinte, foi despertado por um telefonema do pastor daquela igreja, convidando-o a liderar a adoração naquele fim de semana. Kurtis chegou a conduzir a congregação enquanto cantavam "Salvation Is Here" [A salvação está aqui],[16] o mesmo cântico que ele se vira ministrando no sonho. E os honorários que recebeu continham alguns dólares a mais do que a prestação mensal de sua hipoteca.

> Temos a tendência de nos mostrarmos céticos em relação às experiências que nunca tivemos.

— Foi um momento poderoso, sabendo que Deus estava ciente da minha ansiedade nas horas de vigília e me dando confiança nas horas de sono — disse Kurtis.

---

[16] HOUSTON, Joel. Salvation Is Here, **The I Heart Revolution:** With Hearts as One, copyright © 2004, Hillsong.

Temos a tendência de nos mostrarmos céticos em relação às experiências que nunca tivemos, e isso é particularmente verdade em se tratando de coisas como sonhos noturnos. Se não formos cautelosos, rejeitamos as pessoas considerando-as meio malucas caso vivenciem Deus de maneiras diferentes da nossa. Mas talvez nós é que sejamos meio normais demais. Se existe precedente bíblico para Deus falar por meio de sonhos, por que não deveríamos orar pedindo essa mesma experiência? Talvez nunca tenha acontecido porque deixamos de pedir.[17]

Minha esposa, Lora, e a minha cunhada, Nina, há pouco tempo passaram uma semana nos acampamentos de refugiados em Tessalônica, Grécia, com os nossos amigos missionários Tony e Jamie Sebastian. Durante a visita, conheceram um casal de refugiados que compartilhou com elas seu testemunho. Emmanuel nascera e fora criado no Irã, ao passo que a esposa, Amanda, era do Curdistão.

Emmanuel foi criado como muçulmano xiita, de modo que a oração fazia parte de sua rotina religiosa. Quando ele orava, no entanto, tinha a impressão de que ninguém o ouvia. Um amigo lhe deu uma Bíblia e disse que Jesus queria falar com ele. Diante disso, Emmanuel pediu a Jesus que se revelasse se fosse mesmo real. Foi exatamente o que aconteceu. Emmanuel teve uma visão de Jesus e ouviu-lhe a voz. Sua fé recém-descoberta em Cristo representava um risco para sua vida, de modo que ele fugiu do país. Foi assim que conheceu a futura esposa, Amanda, em Istambul, Turquia. Foi mais do que amor à primeira vista. Deus sussurrou para Emmanuel que Amanda haveria de ser sua esposa, embora eles nem sequer falassem a língua um do outro. A partir do dia seguinte ao do casamento, por milagre Emmanuel começou a

---

[17] V. Tiago 4.2.

falar e a compreender a língua curda! Não, não tem nenhum erro tipográfico aqui! Isso condiz com o que aconteceu no dia de Pentecoste.

Os recém-casados acabaram fugindo da Turquia e seguindo de barco para a Grécia. A viagem demorou mais do que o esperado, e Amanda ficou mortalmente enferma. Certa noite, uma luz entrou na tenda deles no acampamento de refugiados, e Emmanuel ouviu um sussurro de que o socorro estava a caminho. No dia seguinte, apareceram duas mulheres dizendo que Deus as enviara para ajudarem. Levaram Amanda ao hospital, mas os médicos não conseguiram decifrar seus sintomas. Então, numa noite, Amanda teve a visão de Jesus parado junto a seu leito, impondo as mãos sobre sua cabeça e orando pela cura. Quando ela acordou, os sintomas tinham desaparecido. Os médicos não queriam que ela partisse, mas Amanda se deu alta do hospital, e imediatamente foi batizada. Os dois estão hoje em treinamento para se tornarem os primeiros pastores falantes de árabe de uma igreja em Tessalônica, Grécia.

Um dia como outro qualquer no escritório, certo? Talvez não para nós, mas milagres como esse acontecem o tempo todo mundo afora. Refugiados muçulmanos estão abraçando a fé em Cristo por meio de visões, milagres e a hospitalidade de cristãos. E, como muitos deles não têm Bíblias, Deus fala por meio de sinais e maravilhas.

Este pode ser um bom momento para lembrar que Deus está fazendo *hoje* o que fazia *antes*. E talvez queira fazer *aqui* o que está fazendo *lá*.

Visões estranhas

Um dos sonhos mais estranhos registrados nas Escrituras é a visão de Pedro dos quadrúpedes, répteis e aves descendo à terra em um lençol. Até que uma voz diz: "Levante-se, Pedro; mate e coma". Adoro a resposta de Pedro: "De modo nenhum, Senhor!".[18] Tenho a convicção de que, se você chama alguém de *Senhor*, três palavrinhas que nunca deveriam preceder esse modo de tratamento são "de modo nenhum". Mas compreendo a hesitação de Pedro. O sonho parecia mais um pesadelo porque contradizia todas as leis judaicas relacionadas a alimentos existentes nos livros. Pedro deve ter se sentido como um vegetariano em uma churrascaria brasileira no estilo "coma à vontade".

Permita-me afastar o *zoom* e fazer algumas observações. Primeiro, *os sonhos conferidos por Deus não contradizem as Escrituras*. Alguém poderia argumentar que essa visão foi uma exceção à regra, mas o cânon ainda não fora fechado. Deus tornou as leis alimentícias judaicas ultrapassadas, ao mesmo tempo que trazia a bordo os crentes gentios, e efetivou as duas coisas com um sonho. Um sonho concedido por Deus não levará você além das fronteiras das Escrituras, mas o forçará a fazer coisas de que não se via capaz nem mesmo de tentar.

> A voz de Deus desafia o *status quo* e nos impulsiona em novas direções.

Segundo, *os sonhos conferidos por Deus confrontam o preconceito*. Nessa altura da história, o cristianismo era basicamente uma seita do judaísmo. A ideia de ver gentios sendo enxertados em Cristo era tão radical que o sonho precisou ser repetido três vezes! Às vezes, Deus precisa nos forçar a sair da nossa zona de conforto. Queremos que ele faça algo novo ao mesmo tempo que continuamos fazendo as mesmas coisas velhas, mas não é assim que funciona. Sua voz desafia o *status quo* e nos impulsiona em novas direções.

---

[18] V. Atos 10.9-14.

Terceiro, *o significado dos sonhos não se discerne sempre de imediato*. Se Pedro teve de processar seus sonhos, é provável que o mesmo se aplique a nós também. Alguns sonhos fazem sentido de pronto, mas outros ficam décadas sem que pareçam ter sentido. E sonhos são como portas; com frequência um leva a outro, que leva a mais outro.

Por fim, *se quiser contribuir para a boa reputação de Deus, talvez você tenha de arriscar a sua*. Pedro correu um risco calculado quando entrou na casa de Cornélio. Tecnicamente falando, era contra a Lei. Mas, como Paulo, ele não foi "desobediente à visão celestial" (Atos 26.19). Pregou o evangelho, Cornélio se arrependeu e estabeleceu-se a condição de igualdade entre judeus e gentios.

Se você é um crente gentio, sua genealogia remonta a esse momento. Na verdade, remonta a uma visão dupla, um sussurro duplo. Cornélio agiu em cima do sonho que Deus lhe conferiu, e então Pedro agiu de igual modo em cima do sonho que também a ele Deus conferira, de modo que ambos se encontraram no meio milagroso entre uma coisa e outra.

Temos a tendência de encarar histórias como essa como anomalias, mas não deveriam representar a normalidade? Só porque temos acesso ao texto sagrado das Escrituras, não significa que tenhamos de esperar menos milagres. As Escrituras devem alimentar a nossa fé para muito mais que isso. Se Deus pode usar uma visão dupla para marcar um encontro divino entre um soldado italiano e um apóstolo judeu, por que não faria o mesmo por nós?

Lembra-se da minha oração mais arrojada, a oração para que Deus curasse a minha asma? Depois que preguei essa mensagem, uma visitante se aproximou e me falou sobre um sonho que ela tivera na noite anterior. No sonho, ela impunha as mãos sobre os meus pulmões e orava por eles, e eles eram curados. Perguntou então se ela e o marido podiam repetir o que ela fizera no sonho. Para ser franco, fiquei um pouco desconfiado porque se tratava de dois completos estranhos para mim. Mas a última coisa que quero fazer é atrapalhar o que Deus deseja fazer, mesmo que pareça um pouco estranho. E a verdade é que o casal se arriscara apenas ao me dirigir aquela pergunta. De modo que lhes dei permissão para imporem as mãos sobre mim, como as Escrituras instruem,[19] e orarem pela cura. Não sei que papel a oração deles desempenhou na minha cura, mas foi uma peça do quebra-cabeça. Serviu de catalisador e de confirmação da cura. Também como lembrete de que Deus opera de maneiras estranhas e misteriosas.

Fé pura

Em 1º de abril de 1908, John G. Lake teve uma visão em que era transportado para a África do Sul e pregava. O sonho se repetiu várias vezes, bem parecido com o de Pedro. Dezoito dias depois, Lake e a família partiram para a África com 1,50 dólar nos bolsos. Lake tinha plena consciência de que custaria 125 dólares para fazer passar pela imigração os oito membros de sua família, ou seja, quase 100 vezes o que possuíam. Mas sentia que Deus lhes dissera para irem.[20]

Quando a família chegou à África do Sul, Lake se postou na fila da imigração, mesmo sem dinheiro suficiente para entrar no país. Foi quando alguém bateu de leve em seu ombro e lhe entregou 200 dólares. Os Lake tomaram o trem para Joanesburgo,

---

[19] V. Tiago 5.14.
[20] JOHNSON, Bill; MISKOV, Jennifer. **Defining Moments:** God-Encounters with Ordinary People Who Changed the World. New Kensington, PA: Whitaker, 2016. p. 153-154.

mas continuavam sem ter onde morar, de modo que oraram durante o caminho para que Deus provesse. Chegando à cidade, foram saudados na estação de trem por uma mulher chamada sra. Goodenough, que anunciou que Deus lhe dissera para providenciar um lugar em que pudessem morar.

É difícil calcular a influência da vida de uma pessoa, mas John G. Lake foi parte integrante de um avivamento que varreu a África do Sul. Mais tarde ele retornou para os Estados Unidos, onde deu início a 40 igrejas.[21] E talvez sua maior influência tenha sido por meio de um filho na fé, Gordon Lindsay, fundador da Christ for the Nations.

> É provável que Deus possa usá-lo para praticamente qualquer coisa!

Por que Deus usou Lake dessa maneira? Bem, se alguém está disposto a se mudar com a família de oito pessoas para o outro lado do Planeta em resposta a uma visão, é provável que Deus possa usá-lo para praticamente qualquer coisa! Sua disposição para ir a qualquer parte e fazer qualquer coisa era incomparável, bem como a fome que ele tinha por Deus.

Certa vez Lake disse: "Acredito que eu tenha sido o homem com mais fome de Deus que já existiu".[22] É difícil julgar uma autoavaliação, mas só digo o seguinte: se você mantiver a humildade e o apetite, não há nada que Deus não possa fazer em você ou por seu intermédio. Na verdade, quanto mais humilde

---

[21] Ibid., p. 159.
[22] STROM, Andrew; HOLMES, Robert. The Life and Times of John G. Lake, **Storm Harvest**, July 30, 2007. Disponível em: <http://www.sermonindex.net/modules/newbb/viewtopic.php?topic_id=11556&forum=40>. Acesso em: 15 fev. 2018, 16:10:57.

você for, maior o sonho que Deus pode confiar a você, pois ele sabe que receberá a glória.

Um último lembrete. O objetivo de correr atrás de um sonho conferido por Deus não é concretizá-lo apenas. Na verdade, a realização do sonho tem importância secundária. O objetivo primordial é quem você se torna no processo. Grandes sonhos geram grandes pessoas porque temos de confiar em um Deus grande. Nada nos mantém de joelhos como os sonhos do tamanho de Deus. Eles nos obrigam a viver em pura dependência ao Senhor. Sem ele, o sonho não pode ser concretizado. Sonhos do tamanho de Deus forçam que nos acheguemos um pouco mais, e é então que Deus nos tem no ponto exato em que nos deseja.

9

Personagens ocultos

A quinta linguagem: Pessoas

[...] estamos rodeados por tão grande
nuvem de testemunhas [...].
— Hebreus 12.1 — 2 parte

Em 20 de fevereiro de 1962, John Glenn se acomodou no topo de um míssil balístico intercontinental de 25 metros de altura no cabo Canaveral. Depois de 11 adiamentos, Scott Carpenter, responsável pelas comunicações com a cápsula espacial, enfim proferiu a famosa frase "Boa sorte, John Glenn",[1] e a missão Mercury-Atlas 6 decolou do complexo de lançamento 14. O foguete atingiu a velocidade de 28.234 km/h, deu três voltas ao redor da Terra e caiu no mar 4 horas, 55 minutos e 23 segundos mais tarde, 1.287 quilômetros a sudeste das Bermudas.[2] John Glenn virou herói de uma hora para outra — o primeiro

---

[1] Godspeed, John Glenn, **USA Today**, December 8, 2016. Disponível em: <www.usatoday.com/story/news/2016/12/08/short-list-thursday/95136358/>. Acesso em: 26 fev. 2018, 10:31:33.

[2] Mercury-Atlas 6, **Nasa**, November 20, 2006. Disponível em: <www.nasa.gov/mission_pages/mercury/missions/friendship7.html>. Acesso em: 26 fev. 2018, 10:44:47.

norte-americano a orbitar a Terra. Acontece que até os heróis precisam de ajuda. E histórias épicas costumam ter histórias de bastidores ainda melhores.

O maior desafio enfrentado pela Nasa não era levar o homem para o espaço, mas devolvê-lo em segurança à Terra. Foi onde Katherine Coleman Goble Johnson entrou na equação. O cálculo da reentrada de Glenn na atmosfera terrestre exigia as mentes matemáticas mais brilhantes, das quais Katherine era a principal. Mas ela precisou vencer dois desafios importantes: em 1962 o mundo era dos brancos, como evidenciavam os banheiros reservados especificamente para empregados negros do centro de pesquisas Langley. E o mundo era dos homens. Mas não há quem segure uma mulher diligente.

Para calcular trajetórias e o momento exato do lançamento de foguetes, não tinha ninguém melhor que Katherine Johnson. A Nasa adquirira seu primeiro computador IBM poucos anos antes, mas John Glenn confiava nos computadores humanos mais que na versão mecanizada. Na verdade, ele não se dispunha a decolar enquanto Katherine não conferisse tudo. Por isso, seu pedido especial: "Peçam para a moça conferir os números".[3]

Não quero exagerar na minha descrição dos fatos. Talvez a Nasa pudesse ter encontrado outra pessoa para verificar esses números, mas acompanhe o meu raciocínio por um instante. Não fosse Katherine fazendo o que sabia fazer, não sei ao certo se John Glenn teria feito o que fez. E, se John Glenn não tivesse orbitado a Terra, não chegaríamos à Lua. E, se não puséssemos um homem na Lua, a União Soviética o faria. E, se a União Soviética ganhasse a corrida espacial, talvez ganhasse também a guerra fria.

[3] SHETTERLY, Margot Lee. **Estrelas além do tempo**. Rio de Janeiro: Harper-Collins, 2017.

Aonde quero chegar: há pessoas de que nunca ouvimos falar, personagens ocultas que mudaram o curso da História com suas ações, mas das quais não temos a menor consciência. Não tenho certeza de que algum de nós conheceria o nome de Katherine Johnson se ela não fosse homenageada com a Medalha Presidencial da Liberdade aos 97 anos de idade.[4] Bom, e se não participasse de um filme indicado ao Oscar também. Pelo amor de Deus, Katherine Johnson ajudou a pôr um homem na Lua!

Por trás de todo John Glenn, existe uma Katherine Coleman Goble Johnson. Essa dinâmica também é verdadeira nas Escrituras. Por trás de Moisés, tem Arão. Por trás de Davi, Benaia. Por trás de Ester, Mardoqueu. Por trás de Eliseu, Elias. Por trás de Timóteo, Paulo. Nas palavras do poeta inglês John Donne, "Nenhum homem é uma ilha, completo em si mesmo".[5]

Sabe por que C. S. Lewis ia à igreja? Não porque amasse os cânticos. Considerava-os "poemas de quinta categoria acompanhados de melodia de sexta".[6] Não porque amasse os sermões. Tampouco porque gostasse das pessoas. Nada disso. Lewis ia à igreja por acreditar que, se não o fizesse, resvalaria para algo que chamava de presunção solitária. Sabia que não somos projetados para viver sós.[7]

Quando nos isolamos dos outros, transformamo-nos em ilha para nós mesmos. E, como Tom Hanks no filme *Náufrago*,

---

[4] Katherine Johnson Receives Presidential Medal of Freedom, **Nasa**, November 24, 2015. Disponível em: <www.nasa.gov/image-feature/langley/katherine-johnson-receives-presidential-medal-of-freedom>. Acesso em: 26 fev. 2018, 11:57:55.
[5] Donne, John. Meditation XVII. Disponível em: <www.online-literature.com/donne/409/>. Acesso em: 27 fev. 2018, 10:24:20.
[6] Lewis, C. S. **God in the Dock**. Grand Rapids: Eerdmans, 2014. p. 52.
[7] Ibid., p. 51-52.

acabamos desenhando um rosto em uma bola de vôlei, que chamamos de Wilson e com quem nos pomos a conversar.

Sabe por que Deus põe pessoas na nossa vida? Não só para superarmos a possibilidade de um confinamento solitário. Ele põe pessoas na nossa vida para nos manter humildes e para extrair o nosso potencial. Gosto de pensar nisso em termos de um fliperama humano; trombamos com unções diferentes, dons diferentes, ideias diferentes. Deus usa esses encontros relacionais de algum modo para nos conduzir até onde ele deseja que estejamos.

Você sabia que foram necessárias cerca de 400 mil pessoas para levar o homem à Lua? Precisaram de um controlador da missão de 26 anos chamado Steve Bales. Precisaram de um gênio da computação de 24 anos chamado Jack Garman, que memorizou cada código de alerta. Teve também Robert Carlton, encarregado de monitorar o consumo de combustível. Foi ele que, depois de o módulo percorrer 386.644 quilômetros, anunciou que lhe restava combustível equivalente a apenas 60 segundos para aterrissar o módulo ou teriam de abortar a missão. E não se esqueça de Eleanor Foracker, uma costureira que trabalhava para a empresa responsável por projetar os trajes espaciais. Ela e suas colegas ficaram meio nervosas quando os astronautas começaram a pular na Lua, mas a costura aguentou firme. Esses são quatro nomes em 400 mil, mas você entendeu o que eu quero dizer.[8] Ninguém vai para a Lua sozinho.

Cada um de nós é um elo da cadeia "fulano gerou a sicrano" iniciada com Adão e Eva. Ela está cheia de heróis anônimos que levaram a melhor e salvaram a pátria. Todos nos apoiamos nos

---

[8] THIMMESH, Catherine. **Team Moon:** How 400,000 People Landed Apollo 11 on the Moon. New York: Houghton Mifflin, 2015.

ombros uns dos outros. O autor de Hebreus chama essa cadeia humana de nuvem de testemunhas.

> [...] uma vez que estamos rodeados por tão grande nuvem de testemunhas, livremo-nos de tudo o que nos atrapalha e do pecado que nos envolve e corramos com perseverança a corrida que nos é proposta. (Hebreus 12.1)

Todos contamos com uma nuvem de testemunhas, que consiste em todos e qualquer um que tenham influenciado a nossa vida: a família e os amigos, instrutores e professores e, quero acreditar, pastores e escritores. Crer que qualquer uma dessas pessoas está na nossa vida por casualidade é subestimar de maneira grosseira a soberania de Deus. Ele deseja usá-las para falar à nossa vida, e nos usar para falar à vida delas.

Um espírito de timidez

A quarta linguagem do amor de Deus são as pessoas. Sim, Deus pode falar por meio de uma jumenta, mas na maior parte das vezes ele usa pessoas. Usou um profeta chamado Natã para repreender o rei Davi. Usou um tio chamado Mardoqueu para exortar a rainha Ester. E usou um pai espiritual chamado Paulo para incentivar Timóteo: "Deus não nos deu um espírito de timidez, mas de poder e amor e disciplina".[9]

Para nós, um versículo. Para Timóteo, uma palavra profética.

É difícil descrever o tipo de Timóteo, mas vou tentar. Acho que ele era mais sentimento que pensamento, como demonstra seu choro quando ele e Paulo seguiram cada qual seu caminho (2Timóteo 1.4). Abraço entre homens é uma coisa; chorar está em outro nível. E não tenho como provar, mas penso que

---

[9] Segunda a Timóteo 1.7, tradução livre da versão em inglês *New American Standard Bible*.

Timóteo tinha um complexo de inferioridade. Não sei se em razão da idade ou da personalidade, mas parece que ele lutava contra a insegurança, como indicado na carta de Paulo aos Coríntios: "Quando Timóteo chegar, não deve se sentir intimidado por vocês [...]" (1Coríntios 16.10, *Nova Versão Transformadora*). Coisas que nos levam a pensar *hummm*.

Tudo isso se soma à exortação de Paulo.

A palavra "timidez" vem do grego *deilia*.[10] Essa é a única ocorrência no Novo Testamento e quer dizer "covardia". É a incapacidade de enfrentar o perigo sem demonstrar medo. É a falta de determinação e de intrepidez. Josefo, historiador do século I, usou a palavra para descrever os dez espias que retornaram da terra prometida fazendo relatos desfavoráveis por medo dos gigantes. E é o oposto do que experimenta o mártir. Em outras palavras, a palavra descreve alguém que nega sua fé para salvar a própria vida.

> Pare de usar a sua personalidade como desculpa!

Nesse espírito, quero contar como foi a morte de Timóteo. De acordo com a tradição da Igreja, ele morreu aos 80 anos tentando interromper um cortejo pagão![11] O que aconteceu com o tímido Timóteo? Isso não é timidez, em absoluto. Timóteo foi arrastado pelas ruas e acabou sendo apedrejado, sofrendo morte de mártir. Penso que ele cansou de fazer o papel de covarde, cansou de ser intimidado. Imagino que tomou a decisão de agir exatamente como seu pai espiritual: combatendo o bom combate, guardando a fé.

---

[10] **Bible Study Tools**, s.v. "deilia". Disponível em: <www.bibletools.org/index.cfm/fuseaction/Lexicon.show/ID/G1167/deilia.htm>. Acesso em: 27 fev. 2018, 12:12:15.

[11] Saint Timothy, **Wikipedia**. Disponível em: <https://en.wikipedia.org/wiki/Saint_Timothy>. Acesso em: 27 fev. 2018, 13:09:44.

E não posso deixar de me perguntar se esse ato de coragem não teria se originado de uma palavra de exortação, se Timóteo não ouviu a voz de Paulo soando acima do cortejo.

Se você me acompanhou até aqui, creio que construímos uma relação de confiança suficiente para que receba uma palavra de exortação: pare de usar a sua personalidade como desculpa! Quando age assim, você deixa de ter uma personalidade; a sua personalidade passa a dominar você.

Quando Deus chamou Jeremias para ser profeta, ele se pôs a dar desculpas. "[...] não sou capaz de falar em teu nome! Sou jovem demais para isso!", disse (Jeremias 1.6, *Nova Versão Transformadora*). Nós fazemos exatamente a mesma coisa, não? Somos demais isso, não o suficiente aquilo. Contudo, se Deus é soberano, então não podemos ser jovens demais, velhos demais, tímidos demais ou ruins demais. Deus interrompeu Jeremias: "[...] 'Não diga que é muito jovem [...]' " (v. 7).

Que partes da sua personalidade têm servido a você de muleta?

Que desculpa você precisa confessar?

Abraão era velho demais.

Moisés, dono de antecedentes criminais demais.

Pedro era impulsivo demais.

Tiago, analítico demais.

João era emotivo demais.

Timóteo, tímido demais.

Diga-me qual é a sua desculpa, e eu direi onde Deus deseja usar você. É assim que ele manifesta sua graça e glória.

A janela de Johari

Quando cursava a pós-graduação, fui apresentado a uma fascinante matriz da personalidade humana chamada janela de Johari.

Caso tenha curiosidade, *Johari* é a combinação dos nomes dos dois sujeitos que idealizaram a ferramenta, Joe e Harry. Os quadrantes na verdade são quatro janelas relacionadas com personalidade e identidade.

O primeiro quadrante é o *arena* e consiste nas coisas que *você sabe a seu respeito* e que *os outros sabem sobre você*. Trata-se da sua *persona* pública. É a Linha do Tempo do seu Facebook. É o que todo mundo sabe, todo mundo vê.

O segundo quadrante é a *fachada* e consiste naquilo que *você sabe a seu respeito,* mas *os outros não sabem sobre você*. É o seu *alter ego*, quem você é quando ninguém está olhando. É a cortina que esconde o verdadeiro mágico de Oz. É no segundo quadrante que fingimos com o intuito de nos darmos bem, mas só conseguimos nos enganar. É a razão por que empacamos espiritualmente.

Na pré-escola, tive uma paixonite por uma menina da nossa igreja, e isso devia ser muito óbvio porque meus pais disseram alguma coisa a esse respeito no templo, na frente de outras pessoas. Não me lembro o que falaram e com certeza foi algo da mais absoluta inocência. Tenho pais maravilhosos. Mas me lembro da sensação de vergonha que não sou capaz de traduzir bem em palavras. De volta em casa, fiz um sinal como quem diz "Nunca mais saio daqui" e tranquei-me no quarto. E cumpri a minha palavra. Claro, saí para jantar. Emocionalmente, no entanto, nunca mais saí. Demorei muito tempo para reconhecer na frente de todo mundo que gostava de uma menina, porque, no subconsciente, eu tinha medo de que caçoassem de mim. Esse problema era meu, não dos meus pais. Mas o assunto acabou se tornando tabu. Escondia os meus sentimentos,

> Todos temos alguma coisa que escondemos atrás da fachada.

não respondia a nenhuma pergunta e evitava conversar sobre o assunto.

Todos temos alguma coisa que escondemos atrás da fachada. Tratamos de encobri-la com o nosso melhor sorriso, mas representa uma decepção profunda que nunca solucionamos de verdade e a ansiedade aguda que volta quando nos descobrimos em determinadas situações. São os pecados secretos que nunca tivemos coragem de confessar e os sonhos íntimos que jamais nos atrevemos a verbalizar. A consequência disso são conversas rasas e relacionamentos superficiais, que nada têm a ver com a vida abundante prometida por Jesus.

A única saída desse segundo quadrante é a confissão. E não me refiro apenas à confissão dos seus pecados a Deus. Vá um passo além: "[...] confessem os seus pecados uns aos outros e orem uns pelos outros para serem curados [...]" (Tiago 5.16). Enquanto estiver fazendo isso, confesse as suas desculpas. E temores. E fraquezas. E dúvidas.

A confissão dos nossos pecados a Deus gera perdão, mas confessá-los uns aos outros é uma parte crítica do processo de cura. Não só para você; também para a pessoa a quem você está se confessando. Satanás quer que você mantenha o segredo; é a velha tática do isolamento. Só quando confessamos os nossos pecados uns aos outros, percebemos que os outros também estão lutando contra o orgulho, ou a libidinagem, ou a raiva. Agora podemos de fato nos ajudar, desafiar e cobrar resultados uns dos outros. A confissão dá ao outro a oportunidade de nos incentivar, exortar e consolar.

"Se pudéssemos ler a história secreta dos nossos inimigos", disse Henry Wadsworth Longfellow, "haveríamos de encontrar na vida de cada um dor e sofrimento suficientes para aplacar toda hostilidade".[12] Todo mundo que você conhece trava uma batalha de que você nada sabe — até que o confessem, claro.

Pelo meu modo de ver, temos duas opções: um *alter ego* ou o *ego no altar*. Ter um *alter ego* significa fingirmos ser quem não somos, e é extenuante. A outra opção é depositar o nosso ego sobre o altar e descobrir a nossa identidade inteira em Jesus Cristo. Silenciamos assim o ego tagarela. Depositar o ego no altar significa aceitar a avaliação divina de quem somos: a menina dos olhos de Deus. Ver-nos como qualquer coisa menor do que ele diz é falsa humildade.

O ponto cego

Isso que nos traz ao terceiro quadrante, *do ponto cego*, que consiste nas coisas *de que você não sabe a seu respeito*, mas que *os outros sabem*. Significa preparar-se para subir ao palco com a braguilha aberta. Você precisa de alguém na sua vida que o ame o suficiente para dizer o que necessita ser dito:

— Feche esse zíper!

Precisamos aqui de pais e mães espirituais que tenham vivido a mesma experiência; de amigos que tenham permissão para falar a verdade em amor; de parceiros, aos quais tenhamos de prestar contas, que nos puxem as orelhas e nos façam lembrar que nascemos para muito mais que isso.

No local onde o nervo óptico passa pelo disco óptico, todos temos um ponto literalmente cego. Ele conta com cerca de 7,5 graus de altura e 5,5 de largura. Raras vezes o notamos porque o nosso cérebro é muito hábil em preencher espaços vazios com

---

[12] LONGFELLOW, Henry Wadsworth, **Goodreads**. Disponível em: <www.goodreads.com/quotes/24180-if-we-could-read-the-secret-history-of-our-enemies>. Acesso em: 4 mar. 2018, 20:38:51.

base em sugestões visuais. Mas também é onde somos mais suscetíveis a juízos, informações ou entendimentos equivocados.

Uma das primeiras lições que se aprende na hora de tirar a carteira de habilitação é como verificar o ponto cego antes de mudar de faixa. Assim se evitam acidentes. O que é importante na condução de um carro é válido na vida. Essa também é a razão por que a quinta linguagem — as pessoas — é tão crítica. Sem a influência alheia, desenvolvemos pontos cegos, que são pontos fracos espirituais.

Um dos momentos determinantes da minha vida foi o dia em que um recém-formado teve a coragem de confrontar o orgulho que via em mim. A princípio fiquei na defensiva. Mas, quando constatei que ele tinha razão, arrependi-me. Também fiz um voto de que daria o meu melhor para não falar negativamente de outras igrejas ou pastores. Resolvi fazer o contrário, e isso se tornou um coro na National Community Church: enalteça as pessoas pelas costas.

> A palavra certa no momento certo tem o poder de nos abrir os olhos.

Talvez você seja mais maduro do que eu, mas, em geral, não gosto quando alguém diz o que não quero ouvir. Todavia, se for algo que *preciso* ouvir, no fim será a essa pessoa que mais agradecerei. Quinze anos se passaram desde esse momento determinante, mas ainda sou devedor àquele recém-formado que percebeu um sinal de orgulho em mim e me amou o suficiente para me contar.

Lembra-se das vozes que nos ensurdecem para a voz de Deus? A voz da crítica pode nos cegar para o nosso potencial. Mas, quando a verdade é dita em amor, a palavra certa no momento certo tem o poder de nos abrir os olhos.

Todos temos questões mal resolvidas e feridas abertas. Levamos conosco uma superabundância de mecanismos de defesa, de reflexos condicionados e de estratégias de sobrevivência de que nem temos consciência. Se mantemos um relacionamento íntimo com quem confiamos e essas pessoas violam a nossa confiança de alguma forma ou maneira, ficam cicatrizes. Da próxima vez, a pele grossa dessa cicatriz pode dificultar que confiemos. E, se não formos cautelosos, sabotaremos a nós mesmos com comportamentos autodestrutivos porque, no subconsciente, temos medo de que aconteça de novo.

O único jeito de superar essas dimensões autodestrutivas da nossa personalidade é a descoberta implacável de nós mesmos. Isso é muito mais que autoajuda. "Sem o conhecimento do eu", disse João Calvino, "não há conhecimento algum de Deus".[13] Se corretamente implementadas, as avaliações de personalidade nos ajudam a descobrir a maneira pela qual Deus nos formou. O perigo evidente é o de nos classificarmos e aos outros de maneira simplista demais. Ou, como já mencionei, usarmos a personalidade como desculpa. Não façamos isso. Por outro lado, tampouco a ignorância é uma bênção.

Amo o programa StrengthsFinder.[14] Como o nome sugere, ele ajuda as pessoas a descobrirem os dons que lhes foram conferidos por Deus. Mas também dou valor ao eneagrama porque nos ajuda a identificar os pecados mortais a que somos mais suscetíveis. De acordo com o escritor e pastor Ian Cron, "O pecado mortal de cada personalidade é como um comportamento repetido e

---

[13] CALVINO, João. In: CRON, Ian; STABILE, Suzanne. **Uma jornada de autodescoberta:** o que o eneagrama revela sobre você. São Paulo: Mundo Cristão, 2018.

[14] V. BUCKINGHAM, Marcus; CLIFTON, Donald O. **Descubra seus pontos fortes:** um programa revolucionário que mostra como desenvolver seus talentos especiais e os das pessoas que você lidera (Rio de Janeiro: Sextante, 2008); ou: RATH, Tom. **StrengthsFinder 2.0** (New York: Gallup, 2001).

involuntário que vicia e de que só nos livramos quando reconhecemos a frequência com que lhe entregamos as chaves para dirigir a nossa personalidade".[15]

Existe a manifestação saudável e santa da nossa personalidade, mas também existe a manifestação doentia e pecaminosa. Costuma haver uma linha tênue entre as duas. Precisamos de pessoas cheias de graça e de verdade que nos ajudem a navegar junto dessa linha e que exijam que lhes prestemos contas quando a atravessamos.

Atenção à fonte

A quinta linguagem é a mais usual, mas também a que mais se usa errado e a que mais sofre abusos. Dessa forma, permita-me compartilhar algumas recomendações baseadas no que aprendi a duras penas antes de passarmos para o quarto quadrante. Deus fala por meio das pessoas, mas elas são imperfeitas como nós. Por isso, eis uma boa regra básica: preste atenção na fonte. O insulto de um tolo pode ser um cumprimento; o cumprimento de um tolo, um insulto. De um jeito ou de outro, você precisa considerar o caráter da pessoa que está falando.

> A palavra certa no momento certo tem o poder de nos abrir os olhos.

Na minha experiência, Deus nos fala por intermédio de amigos com mais frequência do que de estranhos. Não estou dizendo que Deus não pode usar alguém que você não conhece para dizer algo que você precisa ouvir. Com certeza pode, e com certeza tem feito isso na minha vida. Mas falar a verdade em amor é um direito a que se faz por merecer e subproduto

---

[15] CRON, Ian; STABILE, Suzanne. **Uma jornada de autodescoberta**. São Paulo: Mundo Cristão, 2018.

do relacionamento. Quanto mais forte o relacionamento, mais peso as palavras carregam.

Conheço gente demais machucada por palavras descuidadas. Isso não implica nos desligarmos de todo mundo e pararmos de ouvir. Significa apenas que é melhor sermos mais perspicazes. Nas palavras do apóstolo Paulo, "[...] julguem cuidadosamente o que foi dito" (1Coríntios 14.29). Antes de comprar o peixe pelo preço que estão vendendo, certifique-se de que ele passe pelo crivo das Escrituras. E não considere apenas as palavras da pessoa; atente também para seu caráter ao lhe pesar as palavras.

Agora quero inverter a situação. Se você estiver sintonizado com a voz mansa e delicada do Espírito Santo, haverá momentos em que Deus dará a você uma palavra a ser dita em relação à vida de outra pessoa. Paulo descreveu três tipos diferentes de palavras: de sabedoria, de conhecimento e profética.[16]

Às vezes, Deus nos fala *para nós*.

Às vezes, Deus nos fala *para outros*.

Um dos maiores presentes que você pode dar a alguém é não só orar em seu favor, mas também ouvir Deus em benefício dessa pessoa. Se você cultivar um ouvido profético, Deus dará a você uma voz profética. Mas há um sinal de alerta a acompanhá-la: o que vale para o ouvir, vale para o falar. Jesus disse: "Não [...] atirem suas pérolas aos porcos [...]" (Mateus 7.6). É o corolário de "atenção à fonte". Em suma, atente para a pessoa. Se ela não estiver pronta e disposta ou não for capaz de ouvir o que você tem a dizer, suas palavras serão desperdiçadas. Se perceber uma falta de prontidão, talvez você tenha de fazer o mesmo que Jesus: segurar a língua. Ele disse: "Tenho ainda muito que dizer, mas vocês não o podem suportar agora" (João 16.12). A palavra certa

---

[16] V. 1Coríntios 12.8-10.

precisa ser proferida na hora certa, ou, na verdade, pode causar o efeito errado.

Ouvido profético

O meu pai espiritual, Dick Foth, prega há mais de cinquenta anos, mas houve um incidente recente que nunca lhe acontecera. No meio da mensagem, Dick sentiu em seu espírito que alguém estava prestes a ter um caso amoroso ainda naquela semana. A impressão surgiu do nada, e Dick ficou meio sem saber o que fazer com ela. Foi um risco calculado, mas ele concluiu que seria melhor falar alguma coisa. Por isso, interrompeu o sermão e disse:

— Tem alguém aqui pronto para manter um relacionamento amoroso extraconjugal. Já preparou tudo e planeja tomar a decisão hoje. Não faça isso.

Depois do culto, um homem de meia-idade deu um grande abraço em Dick. Ao fazê-lo, sussurrou:

— Era de mim que você estava falando. Obrigado.

Dick é uma das pessoas mais despretensiosas do mundo e uma das mais gentis também. A palavra de conhecimento foi meio incomum para ele, que a consideraria até um pouco fora de sua "área". Mas é bem possível que sua obediência ao sussurro tenha alterado a árvore genealógica de uma família pelas próximas gerações. A palavra certa, proferida na hora certa, pode ecoar pela eternidade, e tudo começa com um ouvido profético.

Não consigo imaginá-lo se apresentando desse modo: "Oi, meu nome é Dick. Sou um profeta". A maioria de nós foge de quem se identifica dessa forma. Mas não nos esquivemos dos dons espirituais. Equivocamo-nos ao pensar nos profetas como oráculos que preveem o futuro, pois não é essa a definição bíblica. A questão tem mais a ver com tornar algo público do que fazer prognósticos.

Por definição, a palavra profética fortalece, anima e conforta.[17] Isso não quer dizer que não possa confrontar, mas é sempre redentora. E deveria ser proferida com mansidão.[18]

Talvez você não se considere um profeta, mas é o que foi chamado para se tornar. Os filósofos judeus não acreditavam que o dom profético estivesse reservado a uns poucos e seletos indivíduos. Tornar-se profético era visto como o auge do desenvolvimento mental e espiritual. Quanto mais as pessoas crescem espiritualmente, mais proféticas passam a ser. O próprio Moisés disse: "[...] Quem dera todo o povo do SENHOR fosse profeta [...]" (Números 11.29).

Uma nota de rodapé. Como os talentos naturais, os dons sobrenaturais precisam ser exercitados. Você não será excelente logo de início, e sei disso por experiência. Os meus primeiros sermões eram mais patéticos que proféticos. O primeiro "oficial" foi em uma igreja do interior em Macks Creek, Missouri. Pobre igreja! Eu estudava escatologia na época, de modo que expus toda a sequência de eventos do fim dos tempos em uma sequência cronológica. Sequência essa que mudava de classe para classe. Devo àquela igreja um pedido de perdão a ser feito no céu.

> Não permita que a inexperiência o impeça de exercitar os seus dons.

Sou uma obra em progresso, como você. Mas não permita que a inexperiência o impeça de exercitar os seus dons. Não deixe que a dúvida o proíba de exercitar a sua fé. E não deixe que o medo das pessoas o impeça de falar para elas de acordo com a direção de Deus. A minha única exortação é que façamos isso

---

[17] V. 1Coríntios 14.3.
[18] V. Gálatas 6.1.

em espírito de humildade. Deixe que o amor lidere e os dons o acompanhem.[19]

Dick Foth tem permissão para falar à minha vida, mas costuma se isentar de responsabilidades antes de fazê-lo dizendo algo do tipo:

— Se 10 é uma palavra de Deus e 1, uma palavra de Foth, considere esta um 4.

Ou pode ser um 2, um 5 ou um 9. Gosto dessa abordagem porque sugere algo sobrenatural, mas também dá margem a erros.

O quadrante desconhecido

O quarto quadrante é o *desconhecido* e consiste nas coisas que *você não sabe a seu respeito* e *os outros não sabem sobre você*. Dou a isso o nome de impressão da alma, e é o que há de mais verdadeiro a seu respeito. Trata-se das suas paixões ordenadas por Deus, seus dons concedidos por Deus e dos seus sonhos do tamanho dele. Antes de mais nada, é o potencial que só pode ser alcançado em um relacionamento com aquele que o deu a você.

> Onde outros enxergavam problemas, Jesus via potencial.

Deus o conhece melhor do que você se conhece. Não só o entreteceu no ventre da sua mãe, como de antemão preparou boas obras com seu nome gravado em cima.[20] Se quiser descobrir quem você é de verdade, busque Deus.

O escritor e palestrante *sir* Ken Robinson é de Liverpool, Inglaterra, mesma cidade natal de *sir* Paul McCartney. Um dia, comparando impressões, *sir* Ken descobriu que *sir* Paul não tivera

---

[19] Agradeço a Lori Frost pela frase maravilhosa e por esse princípio poderoso.
[20] V. Efésios 2.10.

um desempenho muito bom nos estudos musicais. Seu professor do ensino fundamental não lhe dera boas notas nem sequer percebera qualquer talento inato. Impressionante, certo? Mas a história fica ainda melhor! George Harrison, principal guitarrista dos Beatles, teve o mesmo professor. E não se saiu nem um pouco melhor que McCartney. "Deixe-me ver se entendi direito", disse Ken a Paul. "Esse professor tinha *metade* dos Beatles na sala de aula e não percebeu nada de extraordinário?".[21]

Parte da genialidade de Jesus era sua capacidade de ver potencial em lugares e pessoas improváveis. Onde outros enxergavam problemas, Jesus via potencial.

Lembra-se do que os fariseus disseram quando uma prostituta entrou de penetra na festa deles? "[...] 'Se este homem fosse profeta, saberia quem nele está tocando e que tipo de mulher ela é: uma pecadora' " (Lucas 7.39). Isso é uma meia verdade. O profeta com certeza percebe as realidades presentes. Jesus sabia exatamente quem ela era, mas também via em quem ela poderia se tornar. E a tratou de acordo com essa perspectiva.

"Se você tratar o indivíduo pelo que é, ele permanecerá do jeito que é", disse Johann Wolfgang von Goethe. "Mas, se o tratar como se ele fosse o que deveria e poderia ser, ele se tornará o que deveria e poderia ser."[22]

A palavra "profeta" passou a ter a conotação de tristeza e melancolia; não, eu não estou sugerindo que se doure essa pílula. Mas, de novo, uma palavra profética fortalece, anima

---

[21] KELLEY, Tom; KELLEY, David. **Confiança criativa:** libere sua criatividade e implemente suas ideias. São Paulo: HSM do Brasil, 2014.
[22] "Johann Wolfgang von Goethe", **Goodreads**. Disponível em: <www.goodreads.com/quotes/33242-if-you-treat-an-individual-as-he-is-he-will>. Acesso em: 5 mar. 2018, 12:43:46.

e conforta.[23] É edificante, não depreciativa. Dá esperança, não desespero. Crê com ousadia que o melhor ainda está por vir.

Uma palavra

Pete Bullette lidera o Chi Alpha na Universidade da Virgínia, um próspero ministério universitário que vem influenciando centenas de estudantes. Há dezessete anos, Pete fez um estágio com o Chi Alpha em Washington e frequentou a National Community Church. Um dia acomodei-me no laboratório de sermões que eles tinham e ouvi Pete pregar. O porão não era o lugar ideal para isso, nem pregar para sete pessoas. Mas Deus me deu uma palavra profética para Pete. Puxei-o de lado depois que acabou e disse:

— Um dia Deus permitirá que você pregue para milhares de pessoas.

Ele achou aquilo meio incrível na época, e a gente precisa ser ultracuidadoso antes de proferir palavras desse tipo. A última coisa que se quer é ver pessoas frustradas em suas expectativas. Na verdade, essa é quase a última coisa que se quer. A última mesmo é não obedecer à sugestão do Espírito Santo.

> Não se engane, Deus deseja falar por seu intermédio.

"O que você me disse dezessete anos atrás está agora se tornando realidade", Pete escreveu há pouco tempo. Ele fala a centenas de estudantes semana sim, semana não, mas acabara de ser convidado para falar em uma reunião de milhares de pessoas em Houston, Texas. Foi esse convite que motivou sua mensagem de *e-mail*: "Não escrevo isso para me vangloriar", explicou. "Escrevo para fechar o ciclo da palavra profética que me encoraja há quase duas décadas."

---

[23] V. 1Coríntios 14.3.

Sou o primeiro a confessar que provavelmente desperdiço mais do que aproveito as oportunidades, mas sempre fico impressionado com o poder de uma palavra profética. E já desempenhei o papel de receptor de palavras assim. Em uma época e fase muito delicada da minha vida, um missionário orou por mim. Tenho certeza de que ele nem se lembraria disso, mas sua oração se tornou profética no meio do caminho quando ele disse:

— Deus o usará de uma maneira grandiosa. — Sei que parece terrivelmente genérico, mas essa única frase tem me ajudado a atravessar tempos bem difíceis.

Serei grato por toda a eternidade pelas pessoas que identificaram coisas em mim que eu mesmo não via. Nesse aspecto, ninguém foi melhor que Jesus, e somos chamados para segui-lo. De novo, façamos isso em espírito de humildade. E exercitemos a inteligência emocional enquanto nos empenhamos. Mas não se engane, Deus deseja falar por seu intermédio. E isso costuma começar com o simples ato de notar quem está do seu lado.

Uma visão para as pessoas

Amo a história que o pastor Erwin McManus compartilhou em um vídeo para a série de conferências denominada TED Talk sobre a primeira dessas suas conferências na Tanzânia.[24] Erwin é introvertido ao extremo, de modo que sua filha lhe deu algumas dicas de sociabilidade: não se esconda nos cantos e tente não parecer amedrontado demais. Ele aceitou os conselhos e procurou identificar a pessoa mais gentil com quem almoçar.

---

[24] McManus, Erwin, The Artisan Soul, **YouTube video**, 16:40, da conferência TED Talk realizada em 15 de novembro de 2014, publicada em 14 de abril de 2015. Disponível em: <www.youtube.com/watch?v=XsJBGxmFQkU>. Acesso em: 5 mar. 2018, 13:20:22.

Acabou tendo uma conversa muito longa e interessante com uma mulher chamada Jane, mas tinha algo muito estranho na conversa. Erwin diz: "Você já conheceu uma pessoa tão apaixonada por algo que, não importa sobre o que você fale, ela mudará o rumo da conversa para o que quer que esteja com vontade de falar?".

Não importava qual era o assunto em discussão — de relacionamentos humanos a sistemas geopolíticos na China —, Jane sempre dava um jeito de relacioná-lo com chimpanzés. Depois de uma hora nesse embate, de repente tudo ficou claro para ele. Então quis saber:

— Jane, posso fazer uma pergunta? Seu último nome é Goodall?

Como não podia deixar de ser, Erwin estava almoçando com a maior primatologista do mundo, Jane Goodall. E durante uma hora ele não teve a menor ideia disso!

Posso ser muito franco na minha observação? Amar o próximo começa com a consciência da existência dele ou dela. Ninguém faz parte da sua vida por acaso; todo mundo está aí por desígnio divino. O seu trabalho é não só notar essas pessoas, como também cuidar delas. E isso vale para introvertidos, extrovertidos e todas as gradações entre uma coisa e outra. A atitude mais generosa que você pode ter é falar com Deus sobre elas e ouvir o que ele tem a dizer a respeito delas.

> É sua responsabilidade amar as pessoas que Deus pôs na sua vida.

Se Deus transmitir a você uma palavra de incentivo para alguém, trate de proferi-la. Não precisa iniciar com um "Assim diz o Senhor". Isso talvez assustasse a pessoa. Você poderia se exprimir como Dick Foth e incluir uma escala de um a dez. Qualquer que seja a abordagem que você prefira, é sua responsabilidade amar as pessoas que Deus pôs na sua vida, e isso significa falar "a verdade em amor" (Efésios 4.15). Agindo assim, uma palavra pode fazer toda a diferença do mundo.

Quando ouvimos a palavra "visão", temos a tendência de pensar em um objetivo grandioso, como levar o homem à Lua. Esse é um tipo de visão. Mas o tipo mais importante é a visão para as pessoas. E, de novo, Jesus estabelece o padrão a ser seguido.

Não conhecemos muita coisa sobre Maria Madalena, mas sabemos que ela estava possuída por sete demônios antes de Jesus os expulsar.[25] Maria tinha sete problemas insolúveis. Partira-se em sete pedaços. Temos a tendência de desistir de pessoas assim, mas Deus não. Ele não desiste, não consegue desistir! Não condiz com sua natureza.

Damos por caso perdido gente como Maria, mas Jesus a inclui em sua lista. Na verdade, ela viria a ser a principal figura feminina no episódio mais importante das Escrituras. Foi a primeiríssima pessoa a testemunhar a ressurreição de Jesus Cristo e será para sempre conhecida como "a apóstola dos apóstolos".[26] Acrescente isso ao seu cartão de visitas! É bem coisa de Deus agir assim, não?

Nós ignoramos as pessoas.

Jesus as inclui.

Mestre de cerimônias

Poucos anos atrás, meu amigo Carlos Whittaker escreveu um livro maravilhoso intitulado *Moment Maker* [O criador de momentos]. Eu tinha escrito *A força da oração perseverante* poucos

---

[25] V. Lucas 8.2.
[26] Mary Magdalene, **The Nazarene Way**. Disponível em: <www.thenazareneway.com/mary_magdalene.htm>. Acesso em: 5 mar. 2018, 16:40:44.

anos antes, de modo que, assim que o livro dele foi lançado, cumprimentei-o batendo punho com punho e repetindo a saudação habitual dos Superamigos:

— Supergêmeos, ativar. Forma de um criador de círculos.

Ele entrou na minha onda e respondeu:

— Forma de um criador de momentos.[27]

Isso foi só para mostrar a você um vislumbre do meu segundo quadrante.

No início de seu livro, Carlos conta a história de um momento determinante em sua vida. Aconteceu em uma classe da pré-escola, no porão do prédio de uma igreja em Decatur, Geórgia. "Fui uma criança tímida", conta Carlos, "um panamenho-mexicano de cabelo afro repartido do lado como Gary Coleman em seus melhores dias, em uma terra de cabelos loiros brilhantes, olhos azuis profundos e sotaques sulistas carregados".[28] Carlos era um forasteiro e sabia disso.

O momento determinante aconteceu no dia em que os papéis foram distribuídos para o circo da pré-escola da Igreja Presbiteriana Rehoboth. No ano anterior, Carlos fora o leão. Seu rugido saíra mais como um miado, e a plateia explodira em gargalhadas. A vergonha o marcara, mas ali estava ele de volta à cena do crime.

Sua professora, a sra. Stephens, começou a atribuir os papéis. Mary — ursa bailarina. Brandon — palhaço. Jay — halterofilista. *Whittaker* fica no fim do alfabeto, de modo que, quando a sra. Stephens chegou a ele, tirou os óculos, abriu um sorriso de que

---

[27] No original em inglês, os dois livros têm títulos semelhantes, o que explica a brincadeira dos autores: *The Circle Maker* ("O criador de círculos", em tradução literal) é o livro do autor, e *Moment Maker*, o do amigo. [N. do T.]

[28] WHITTAKER, Carlos. **Moment Maker:** You Can Live Your Life or It Will Live You. Grand Rapids: Zondervan, 2013. p. 9.

Carlos se lembra até hoje e disse: "Carlos... este ano você será o mestre de cerimônias".[29]

"Aquele momento, envolto naquela única frase, transformou tudo para mim de verdade. Mudou a trajetória do meu futuro", disse Carlos, como se tivesse acontecido ontem. "A professora achava que *eu* podia ser o mestre de cerimônias."[30]

Na oitava série, Carlos teria se contentado em ser o tesoureiro da classe, mas concorreu para presidente. Por quê? Porque ele era o mestre de cerimônias. Carlos tem dirigido a adoração em estádios cheios de dezenas de milhares de pessoas e sido o mestre de cerimônias em várias conferências em que falo. Ele é mestre nisso — o mestre de cerimônias! Mas tudo isso remonta a algo que uma professora da pré-escola viu nele. Ela não apenas lhe atribuiu um papel no circo da pré-escola da Igreja Presbiteriana Rehoboth; ela deu a Carlos uma autoimagem nova.

O que estou prestes a dizer pode não soar muito exegético, mas acho que foi exatamente o que Paulo fez por Timóteo. Nem Timóteo nem Carlos sabiam a que lugar pertenciam.[31] Sempre me pergunto se Timóteo teria se fechado em uma concha para nunca mais sair de dentro dela se Paulo não tivesse dito essa palavra de exortação. Timóteo acabaria se tornando o mestre de cerimônias na igreja de Éfeso, mas tudo começou com uma palavra profética.

Boa gramática

Toda língua tem regras. Por exemplo, "antes de *p* e *b*, só a letra *m*". Uma verdade com particular aplicação no caso da quinta linguagem. Porque ela envolve pelo menos duas personalidades,

---

[29] Ibid., p. 10.
[30] Ibid.
[31] Timóteo era meio judeu e meio grego.

é duas vezes mais complicada que as outras linguagens e se expõe mais a erros de interpretação.

Por isso, aqui estão algumas regras básicas.

Primeira: *ninguém está acima de ser repreendido*. No minuto em que você pensa estar acima da tentação, já caiu nela. A sua tarefa no fim deste capítulo é fácil e não é. Dê a alguém permissão para o corrigir. Certifique-se de que seja alguém em quem você confia. E, quando a pessoa disser algo que você não quer ouvir, ouça com muita atenção.

Segunda: *não permita que uma seta impregnada de censura perfure o seu coração, a menos que primeiro ela passe pelo filtro das Escrituras*.³² O mesmo se aplica aos elogios. Se você vive deles, é provável que as críticas o matem. De novo, devemos interpretar a linguagem da pessoa por meio da linguagem das Escrituras. Se alguma coisa nada acrescenta, jogue fora. Do contrário, arrependa-se.

> Mostre-me as pessoas das quais você se cerca e mostrarei a você o seu futuro.

Terceira: *não tome decisões em meio a um vácuo*. Sou do tipo que, de maneira geral, processa dados internamente. Mas, como já afirmei aqui, a Bíblia nos exorta a buscarmos conselhos sábios. De novo, ninguém chega à Lua sozinho. Mostre-me as pessoas das quais você se cerca e mostrarei a você seu futuro.

Quarta: *ouça muito e com atenção antes de dar conselhos*. A razão principal por que não ouvimos o que os outros têm a dizer é que formulamos as nossas respostas enquanto eles ainda estão falando. Ouvimos com o intuito de falar, em vez de ouvir para ouvir. Um modo de assegurar que ouvimos o que disseram

---

[32] Foi o pastor Erwin McManus que me apresentou essa ideia.

é praticar uma técnica de aconselhamento chamada reafirmação. Repetimos de volta o que ouvimos para nos certificarmos de que entendemos direito.

Quinta: *sempre incentive antes de corrigir.* Esse é o padrão no livro de Apocalipse. Deus anuncia juízos severos sobre as sete igrejas no Apocalipse, mas não antes de proferir uma palavra de incentivo. Nada desarma mais que o elogio, desde que genuíno. De acordo com a Linha de Losada, necessitamos de pelo menos 2,9 casos de *feedback* positivo para cada *feedback* negativo.[33] E, se tiver de se enganar de um lado ou do outro, engane-se do lado da positividade.

Sexta: *conversas delicadas ficam ainda mais difíceis quanto mais você as protela.* Tenho a tendência de evitar conflitos, mas cheguei à conclusão de que não faço favor a ninguém agindo assim. Os conflitos não têm graça, mas nos ajudam a crescer. O ferro não afia o ferro sem que voem algumas fagulhas! Às vezes, você precisa entabular conversas que parecem ofensivas, mas certifique-se de que as suas motivações estão corretas. Se quiser dizer algo só para extravasar, não se dê ao trabalho. O tiro sairá pela culatra. Relacionamentos genuínos são cheios de graça e de verdade.

Sem graça, falta coração aos relacionamentos. Sem verdade, falta-lhes cabeça. Quando cheios de graça e de verdade, no entanto, os nossos relacionamentos parecem genuínos. Então, e só então, ouviremos a voz de Deus por meio das pessoas.

---

[33] AMIN, Amit. The Power of Positivity, in Moderation: The Losada Ratio, **Happier Human**. Disponível em: <http://happierhuman.com/losada-ratio/>. Acesso em: 5 mar. 2018, 23:12:58.

10

O paradoxo do arqueiro

A sexta linguagem: Sugestões

"[...] para um momento como este [...]."
— Ester 4.14 — 2 parte

Teddy Roosevelt era presidente dos Estados Unidos. Henry Ford produziu seu primeiro modelo T.[1] Os filmes eram mudos. As mulheres não podiam votar. E um pão custava 5 centavos, mas o pão fatiado não seria inventado senão duas décadas mais tarde. Oh, e o Chicago Cubs venceu a competição mundial!

O ano era 1908.

Lutaríamos duas guerras mundiais, levaríamos o homem para pisar na Lua e inventaríamos a internet antes que os Cubs vencessem o campeonato mundial de novo, em 2016. Cento e oito anos se passariam, e a bola de beisebol é costurada com 108 pontos. Coincidência? Você é que sabe!

No auge do décimo tempo do sétimo jogo, depois de um atraso irritante por causa da chuva, Ben Zobrist chegou à segunda base depois de uma rebatida dupla na direção da terceira

---

[1] History Lesson 1908, **Barefoot's World**. Disponível em: <www.barefootsworld.net/history_lesson_1908.html>. Acesso em: 5 mar. 2018, 23:33:25.

base, esquivando-se do lançador Bryan Shaw e abrindo espaço para a corrida da vitória. Tantos torcedores do Chicago Cubs se puseram a pular a um só tempo que o fato chegou a ser registrado na escala Richter! Brincadeira... acho. Mas o evento resultou mesmo no décimo maior ajuntamento pacífico da história da humanidade, quando, poucos dias depois, relatou-se que 5 milhões de fãs do Cubs agitaram a famosa bandeira de vitória do time ostentando um grande W.[2]

Interrompo aqui esse fim digno de conto de fadas da maldição dos Cubs com uma pergunta. Como Ben Zobrist, maior jogador do campeonato mundial, acertou aquela rebatida? Aliás, como um rebatedor, quem quer que seja ele, acerta uma bola de beisebol de 7,26 centímetros de diâmetro que percorre 18 metros em 0,43 segundos?[3] É preciso um quinto de segundo para a retina receber mensagens e, quando isso acontece, a bola já está a meio caminho da base.[4] A margem de erro entre oscilação do taco e rebatida e oscilação do taco e erro é de apenas 10 milésimos de segundo! Ou seja, 15 vezes mais rápido que o piscar do olho.[5]

De volta à pergunta. Como se acerta uma bola rápida e alta que viaja a 160 km/h, ou uma bola curva maldosa capaz de se

[2] List of Largest Peaceful Gatherings in History, **Wikipedia**. Disponível em: <https://en.wikipedia.org/wiki/List_of_largest_peaceful_gatherings_in_history>. Acesso em: 6 mar. 2018, 00:13:11.
[3] How Much Time Does It Take for a 95 M.P.H. Fastball to Reach Home Plate?, **Phoenix Bats**. Disponível em: <www.phoenixbats.com/baseball-bat-infographic.html>. Acesso em: 6 mar. 2018, 00:20:04.
[4] Epstein, David. **A genética do esporte:** como a biologia determina a alta performance esportiva. Rio de Janeiro: Campus, 2014.
[5] Harris, William. How the Physics of Baseball Works, **How Stuff Works: Entertainment**. Disponível em: <http://entertainment.howstuffworks.com/physics-of-baseball3.htm>. Acesso em: 6 mar. 2018, 00:26:53.

desviar até 44 centímetros?⁶ A resposta é dupla: boa visão e boa sincronização. Visão sem sincronização equivale a rebater fora da área. Sincronização sem visão, a brandir o taco e errar. É a combinação singular de visão e sincronização que leva à rebatida.

> Deus está sempre na hora, mesmo que seja no último minuto.

Já tocamos no assunto da importância da visão quando exploramos a linguagem dos sonhos. Agora é hora de falar sobre tempo divino. Lembra-se do velho ditado "Tempo é tudo"? É verdadeiro tanto na vida quanto no beisebol, especialmente quando se trata de aprender a linguagem das sugestões do Espírito. Deus costuma adotar a estratégia de nos posicionar no lugar certo, na hora certa, mas nem sempre reconhecemos isso. Ele está sempre na hora, mesmo que seja no último minuto.

O rei Salomão disse: "Nessa vida tudo tem sua hora [...]". E relacionou 28 exemplos na sequência.⁷ Simplificando, você precisa saber em que época está. Senão, acabará se frustrando ao tentar colher quando for tempo de plantar, ou tentando plantar na hora de permitir que a terra descanse. E as apostas não poderiam ser mais altas. Uma noção de tempo ruim pode ser tão calamitosa quanto uma boa noção de tempo é providencial.

Discernir a voz de Deus requer um relógio interno capaz de distinguir as sugestões dele. E é o tempo da nossa reação a essas sugestões que leva a sincronismos sobrenaturais: estar no lugar

---

⁶ KAPLAN, Sarah, The Surprising Science of Why a Curveball Curves, **Washington Post**, July 12, 2016. Disponível em: <www.washingtonpost.com/news/speaking-of-science/wp/2016/07/12/the-surprising-science-of-why-a-curveball-curves/?utm_term=.f40dd50097be>. Acesso em: 7 mar. 2018, 13:25:46.

⁷ V. Eclesiastes 3.1-8, *A Mensagem*.

certo, na hora certa, com as pessoas certas. Foi exatamente o que o profeta Isaías prometeu:

> Quer você se volte para a direita quer para a esquerda, uma voz nas suas costas dirá a você: "Este é o caminho; siga-o" (Isaías 30.21).

Momentos *kairós*

Há duas palavras para *tempo* no Novo Testamento. A primeira é *chronos* e se refere ao tempo do relógio ou do calendário. É daí que tiramos a palavra "cronologia". O tempo *chronos* é sequencial — passado, presente, futuro. E linear, movendo-se em apenas uma direção.

De acordo com a mitologia grega, Chronos era um deus baixo, de pernas musculosas e calcanhares alados. Locomovia-se tão rápido que, depois que passava, era impossível alcançá-lo. Simbolizando o caráter efêmero do tempo, Chronos tinha cabelo na frente, mas era calvo atrás da cabeça. Em outras palavras, não se pode compreender o presente depois que ele se converte em passado.[8]

Por fim, o mais importante: *chronos* é um construto humano. É como os humanos mensuram o tempo, mas Deus existe fora das dimensões espaçotemporais que criou. De modo que precisamos ter muito cuidado para não inseri-lo no nosso relógio ou na nossa caixa.

A segunda palavra para tempo é *kairós* e se refere ao tempo oportuno. *Chronos* é quantitativo; conta os minutos. *Kairós* é qualitativo; capta momentos. Uma questão de momento crítico ou de hora marcada — "[...] para um momento como este [...]" (Ester 4.14). É *carpe diem*, "aproveite o dia".

---

[8] MILLER, Calvin. Nas profundezas de Deus: quando vemos o invisível, ouvimos o inaudível e realizamos o impossível. São Paulo: Vida, 2004.

Kairós é um termo do tiro com arco que denota que uma flecha é disparada com força suficiente para penetrar o alvo.[9] Melhor ainda, é o paradoxo do arqueiro. A lógica sugere que a flecha seja apontada diretamente para o alvo. Mas, se ela tiver de percorrer uma distância longa, o arqueiro experiente sabe que uma ampla gama de variáveis afetará seu voo. Na verdade, a flecha precisa ser apontada para fora do alvo a fim de atingi-lo. A capacidade de avaliar essas variáveis é *kairós*.

> Se você tirar o máximo de proveito da oportunidade, ela pode se converter em um momento determinante.

A administração do tempo, como no *chronos*, é importante. O salmista pede que Deus nos ensine "a contar os nossos dias" (Salmos 90.12). E acredito no tempo de Vince Lombardi: se você não chegar 15 minutos antes, é porque está atrasado! Mas o apóstolo Paulo levou a ideia da administração do tempo um passo além quando nos disse para remirmos o tempo.[10] Não se trata aqui da palavra *chronos*, mas da palavra *kairós*. E significa literalmente "tirando o máximo de cada oportunidade" (Efésios 5.16).

Perder a oportunidade é pagar o preço do desperdício. Pode até ser um pecado de omissão. Se você tirar o máximo de proveito da oportunidade, ela pode se converter em um momento determinante.

Há pouco tempo, falei em um congresso durante uma temporada política muito tensa. Na verdade, precisei ziguezaguear

---

[9] Kairós, **Wikipedia**. Disponível em: <https://en.wikipedia.org/wiki/Kairos>. Acesso em: 7 mar. 2018, 14:14:53.
[10] V. Efésios 5.16.

entre mil participantes de um protesto e uma barricada da polícia para chegar ao hotel onde o evento acontecia. O meu princípio básico é: se tenho a oportunidade de pregar o evangelho, pregarei para todos os envolvidos, não importa de que lado estejam. O exemplo foi dado por Paulo em seu ministério de se tornar "tudo para com todos" (1Coríntios 9.22).

O devocional que compartilhei aconteceu na primeira sessão do dia, opcional, de modo que me impressionou o fato de algumas dezenas de membros tanto da Câmara quanto do Senado comparecerem. Para ser franco, fiquei meio nervoso e tive dificuldade para pensar no que dizer. Mas, como costuma acontecer, o ponto alto não foi algo que eu disse. Foi uma sugestão do Espírito que fugiu ao protocolo. Senti-me constrangido a pedir a todos os presentes que se ajoelhassem para orar. Não sabia ao certo como aqueles líderes nacionais reagiriam, mas expus-me ao risco que, eu sentia, o Espírito Santo estava me pedindo para correr. E, de uma maneira que eu jamais conseguiria prever ou planejar, tudo se transformou em um momento santo, em solo sagrado. A resposta espiritual e emocional foi repentina. Ajoelhar-se resolverá todos os nossos problemas políticos, ou solucionará todas as nossas tensões políticas? Não, mas não é um ponto de partida ruim.

O tempo *chronos* pode ser medido em minutos, mas a vida é medida em momentos *kairós*. Discernir um do outro faz parte de ouvir a voz de Deus. Ouvi-lo significa discernir os momentos santos em que você precisa cair de joelhos. É discernir os momentos críticos em que você precisa tomar uma decisão difícil. Como pai, é discernir os momentos de receptividade ao aprendizado que podem se transformar em momentos determinantes para os seus filhos.

Odeio admitir, mas o fato é que mais deixo passar os momentos *kairós* do que os capto. Às vezes, permito ao medo ditar as minhas decisões. Receio ficar sem jeito ou parecer tolo, de modo que falho por não dar um passo de fé. Às vezes, preocupo-me tanto com os meus problemas que não sou capaz de discernir as sugestões de Deus. Mas ouvir esses sussurros e obedecer a eles pode transformar um dia comum na aventura de uma vida inteira!

De uma hora para outra

A vida se transforma em um instante, e esse instante contém as decisões que mudam para sempre a trajetória da nossa vida. Algumas são bem pensadas, ao passo que outras acontecem por capricho. De um jeito ou de outro, não fosse Deus ordenando os nossos passos, seria aterrador, concorda comigo?

No início do meu primeiro ano no Central Bible College, houve um culto especial em que os pastores locais foram convidados à capela. Era o começo de um novo ano, e a faculdade queria nos vincular a uma igreja local. Devia ter 50 pastores acotovelando-se na galeria do coral, e reconheci alguns rostos ou porque tinham pregado na capela, ou porque pastoreavam grandes igrejas da cidade.

Eu sabia que a maioria dos estudantes aportaria em fosse qual fosse a igreja da moda naquele semestre. E eu pensava em fazer a mesma coisa. Jogava basquete ao mesmo tempo que tinha um monte de matérias para cursar, de modo que me senti tentado a frequentar uma igreja que tivesse um excelente pregador, permitindo que eu tivesse somente que me sentar e relaxar.

Foi quando senti uma estranha sugestão do Espírito. Nunca experimentara uma orientação como aquela, mas sabia com exatidão que pastor deveria procurar para conversar. Não sei explicar como ou por que; apenas sabia. Logo após o culto da capela, fui direto até o pastor Robert Smiley. Acho que fui o único. Não o conhecia, mas ele me conhecia porque acompanhava o nosso time de basquete.

Eu passaria dois anos da faculdade não só frequentando a Assembleia de Deus West Grand, como servindo em várias áreas. A igreja não existe mais e mal existia na época. Nos melhores domingos, uma dúzia de pessoas aparecia. E quase lotavam o lugar, uma vez que só havia 17 bancos! Mas sou eterno devedor ao pastor Smiley, que me permitiu adquirir experiência pregando. Ele inclusive me deixava conduzir a adoração de vez em quando e uma vez me deu permissão para uma música "especial"!

Estou absolutamente convencido de que aos 20 e poucos anos eu não estaria pronto para implantar uma igreja se não fosse o pastor Smiley. Ele faz parte da minha nuvem de testemunhas. E tudo começou com uma sugestão do Espírito.

A diferenciação dos tempos

A verdade não é relativa, mas o tempo, sim. Os pais de bebês sabem muito bem disso. Para quem tem 2 anos de idade, uma semana é como um ano, e um ano, uma eternidade. Por quê? Porque um ano representa 50% da vida que tem. Se você tem 50, um ano representa 2%. Para as crianças, um dia pode parecer 25 vezes mais longo do que para os pais, e isso pode ser ainda mais acentuado para os filhos de Deus.

Para Deus, "mil anos [são] como um dia"! (2Pedro 3.8).

Para nós, um dia pode parecer mil anos!

Aqueles de nós que nasceram depois de Neil Armstrong dar "um pequeno passo para o homem" vivem em uma linha do tempo diferente da linha dos nossos pais. Preparamos a comida no micro-ondas, submetemos ao Google as nossas dúvidas, informamo-nos em tempo real e interagimos com os amigos pelo Facebook.

Tudo acontece na velocidade da luz. No Reino de Deus, no entanto, as coisas acontecem à velocidade de uma semente plantada no solo que precisa enraizar antes que possa dar fruto. Amo a Geração Y, à qual pertence a maior parte das pessoas que pastoreio. Amo a paixão que eles têm por justiça, o desejo de fazer a diferença e o idealismo pragmático. Mas me preocupa o que percebo como falta de paciência. Também sou culpado disso. Queremos o que nossos pais têm na metade do tempo, com a metade do esforço. Todavia, quase sou capaz de garantir que as nossas esperanças e os nossos sonhos exigirão mais tempo que as nossas estimativas originais.

> No Reino de Deus, as coisas acontecem à velocidade de uma semente plantada no solo.

A questão é a seguinte: desistimos fácil demais, rápido demais. Passamos à frente de Deus com frequência em vez de andarmos no passo do Espírito, ou ficamos para trás por pura frustração. Não é fácil discernir o tempo de Deus e ainda mais difícil confiar nele, especialmente quando a impressão que se tem é de que ele chega tarde e insuficiente. No entanto, ao questionar o tempo dele, talvez seja o seu relógio que necessite de ajuste. Você acerta o relógio pelo dele, sintonizando-se com o sussurro divino.

Por amor a Davi

Versões dessa expressão de quatro palavrinhas "por amor a Davi" pipocam em vários lugares do Antigo Testamento.[11] Trata-se de um testamento da fidelidade de Deus mesmo quando somos infiéis.

---

[11] V. 1Reis 11.12,32; 15.4.

Em 853 a.C., um rei chamado Jeorão assumiu o trono. Era o quinto a governar o Reino do Sul, e fez o que era mal aos olhos do Senhor. Jeorão na verdade matou os irmãos para assegurar o trono. Seria de esperar que Deus o julgasse já no versículo seguinte, certo? Mas não se precipite.

> Entretanto, *por amor ao seu servo Davi*, o SENHOR não quis destruir Judá [...]. (2Reis 8.19)

Isso aconteceu 117 anos após a morte de Davi! Ele se fora havia muito tempo, mas Deus não se esquecera da promessa feita. Ele tem boa memória. Não se esquece de seu povo, nem de suas promessas. A única coisa de que se esquece é dos pecados que perdoa.

> A única coisa de que Deus se esquece é dos pecados que perdoa.

Posso sugerir que Deus tem feito coisas na sua vida por causa de alguma outra pessoa?

Sei que é assim comigo. O meu avô Elmer Johnson era um homem de oração. À noite, ele tirava o aparelho de surdez, ajoelhava-se junto da cama e orava. Não podia ouvir a própria voz, mas todas as outras pessoas na casa podiam. Essas são algumas das minhas primeiras lembranças. O meu avô morreu quando eu tinha 6 anos, mas não suas orações. Houve momentos distintos na minha vida em que recebi uma bênção que com certeza não merecia, e o Espírito Santo me sussurrou as seguintes palavras: *Mark, as orações do seu avô estão sendo respondidas na sua vida neste instante.* É de causar arrepios! Deus agiu "por amor a Elmer".

Somos os beneficiários de orações de que nada sabemos. Deus já trabalhava muito antes de entrarmos em cena, e está nos usando para preparar a próxima geração.

Temos a tendência de pensar no aqui e agora.

Deus pensa no âmbito de nações e gerações.

Não temos ideia de como a nossa vida alterará o curso da História lá na frente, mas há um efeito dominó divino para cada decisão que tomamos. Não subestime o impacto potencial de obedecer às sugestões de Deus. Elas são os sussurros que ecoarão por toda a eternidade!

Orações não respondidas

Nos primeiros dias da nossa implantação de igreja, o escritório pastoral foi um quarto vazio na nossa casa. Quando a nossa filha, Summer, nasceu, ele passou a ter a função dupla de escritório pastoral durante o dia e quarto de dormir à noite. Essa situação deixou de ser conveniente muito depressa, de modo que começamos a procurar um espaço para o escritório. Encontrei duas casas geminadas em Capitol Hill absolutamente perfeitas e fiz Deus saber disso. Mas as duas portas se fecharam de maneira dramática. Nos dois casos, fomos suplantados por interessados que assinaram contratos pelas propriedades antes de nós. Não só Deus não respondeu às nossas orações, como também ficamos com a sensação de que ele se opunha aos nossos esforços. Foi tudo tão confuso e frustrante que quase desisti de continuar procurando um imóvel.

Poucas semanas mais tarde, estava caminhando pela Rua 205 F quando senti uma sugestão muito estranha. Era como se o Espírito Santo sacudisse a minha memória e trouxesse à tona um nome. Eu conhecera o proprietário da casa geminada desse endereço um ano antes, mas não tinha certeza de que o nome que subira do meu subconsciente à superfície era o dele. Isso foi antes do Google, de modo que precisei conferir o nome em algo chamado lista telefônica. Encontrei oito iguais. Não havia nenhuma placa de "Vende-se" na frente da casa. Com que desculpa eu telefonaria para ele? E o que diria? Mas obedeci à sugestão, discando um número de telefone que não tinha certeza que era o dele.

Quando atenderam, apresentei-me mais que depressa. Mas o homem do outro lado da linha não me deixou acabar de falar.

— Eu estava mesmo pensando em você — disse ele. — Andei considerando a possibilidade de vender o imóvel da Rua 205 F e queria saber se você gostaria de comprá-lo antes que eu o coloque no mercado.

Isso é *kairós*!

Essa casa geminada veio a ser nosso primeiro escritório. Mais importante que a função dela era a localização, pois a Rua 205 F é próxima da Rua 201 F, um antigo ponto de venda de *crack* que acabaria abrigando o Café Ebenezers! Se Deus tivesse respondido às nossas orações originais pelas duas casas geminadas "absolutamente perfeitas", não teríamos condições de comprar e construir o nosso café. Portanto, louvado seja Deus pelas orações não respondidas!

> Espere o melhor que Deus tem para dar. Então o agarre com toda a força.

O nosso Pai celestial é sábio demais para sempre nos dar o que queremos quando queremos. Ama-nos demais para isso. Não se contente com o que convém. Não se dê por satisfeito com o segundo melhor. Espere o melhor que Deus tem para dar. Então o agarre com toda a força.

Insônia sobrenatural

Um grande exemplo bíblico de tempo e sugestão divinos talvez seja um caso de insônia sobrenatural. No livro de Ester, o povo judeu estava em vias de enfrentar o genocídio por causa de uma conspiração tramada por um homem perverso chamado Hamã. Seu arqui-inimigo era Mardoqueu, primo da rainha Ester. Hamã odiava Mardoqueu a ponto de erigir uma forca de mais de 20 metros de altura para pendurá-lo! Na véspera da execução, no entanto, Deus apareceu e alardeou seu poder.

> Naquela noite, o rei não conseguiu dormir; por isso ordenou que trouxessem o livro das crônicas do seu reinado e que o lessem para ele. E foi lido o registro de que Mardoqueu tinha denunciado Bigtã e Teres, dois dos oficiais do rei que guardavam a entrada do Palácio e que haviam conspirado para assassinar o rei Xerxes. (Ester 6.1,2)

O restante da história, você lê no livro de Ester, mas o fato é que Deus reverteu a trama de uma só tacada. Mardoqueu, cavalgando o cavalo do rei e usando o manto real, recebeu uma chuva de papel picado ao desfilar pelas ruas de Susã, e Hamã foi pendurado na forca que construíra!

Algumas observações-chave aqui.

Primeiro, *Deus nem sempre recompensa boas obras de imediato*. Já aconteceu de você fazer algo que pareceu passar despercebido? É frustrante no momento, mas aprendi a confiar na linha do tempo divina. Ele nem sempre nos recompensa na mesma hora ou local. No entanto, uma coisa prometo: ele recompensará a sua fidelidade de alguma forma, de algum modo, em algum momento. Mardoqueu salvara a vida do rei Xerxes, frustrando uma conspiração para assassiná-lo, mas deve ter achado que sua boa obra caíra no esquecimento. Todavia, Deus

> Deus consegue realizar mais em um dia do que você em uma vida inteira.

estava se certificando de que ela fosse lembrada e recompensada no momento certo, na hora certa.

Segundo, *a insônia às vezes é um sinal de que Deus deseja nos falar*. Quando acordo em um horário estranho por uma razão estranha, interpreto como uma sugestão para orar. Claro, às vezes ela acontece por escolhas alimentícias ruins na noite anterior, mas nem sempre. Por que não orar até voltar a adormecer? É melhor do que contar carneirinhos.

Terceiro, *Deus consegue realizar mais em um dia do que você em uma vida inteira*.

Agora vamos nos divertir um pouco com essa história. Qual é a probabilidade de o rei Xerxes sofrer de insônia na véspera da execução de Mardoqueu? Para simplificar, digamos que seja 1 em 365. Como monarca regente, é provável que fosse o dono da maior biblioteca da Pérsia. Não há como lhe conhecer o conteúdo exato, mas não me surpreenderia se fosse comparável ao da Real Biblioteca de Assurbanípal. O Museu Britânico calcula o número de títulos da biblioteca de Assurbanípal em 30.943 pergaminhos e tábuas.[12] Usando esse fato como referência, a probabilidade de o rei Xerxes escolher o livro das crônicas era uma em 30.943.

Por fim, desconhecemos o tamanho do livro do reinado do rei, mas aposto que se parecia mais com uma enciclopédia do que com um gibi. Ao final de cada dia de sessão do Congresso dos Estados Unidos, os procedimentos são impressos no *Congressional Record*. O informe abrange a oração de abertura e o juramento à

---

[12] Eleven Most Impressive Libraries from the Ancient World, **OnlineCollege.org**, May 30, 2011. Disponível em: <www.onlinecollege.org/2011/05/30/11-most-impressive-libraries-from-the-ancient-world>. Acesso em: 8 mar. 2018, 12:20:52.

bandeira, junto com de petições, nomeações, texto de emendas e resoluções em conjunto. O registro do primeiro dia do 115º Congresso somou 101 páginas.[13] Claro, incluía a eleição do orador da Câmara dos Deputados, de modo que talvez esteja um pouco acima da média. E tenho certeza de que os persas não eram prolixos como nós. Mas Xerxes reinou vinte e um anos. Aonde estou querendo chegar? O livro era grande! Sejamos cautelosos e calculemos a probabilidade de uma em mil de o livro ser aberto justo naquela página, no parágrafo exato que tratava de Mardoqueu.

Quando multiplicamos esses números, a probabilidade de Xerxes ir parar na página que conta a história do feito de Mardoqueu é de uma em 11.294.195.000. Esse é o instante em que você sabe que Deus faz parte da equação!

Discernir a diferença entre coincidência e providência não pode ser reduzido a uma fórmula matemática, mas Deus adora fazer o impossível contrariando todas as possibilidades. Ele também ama usar o candidato menos qualificado para levar a cabo seus planos e propósitos.

Sugestões insanas

Em 24 de fevereiro de 1958, a revista *Life* publicou uma matéria especial intitulada "Julgamento de gangue adolescente por assassinato em massa". Retratava sete membros de gangues acusados de assassinar Michael Farmer, um garoto de 15 anos incapacitado pela poliomielite. O julgamento prendeu a atenção do país inteiro, como o de O. J. Simpson, quase quatro décadas depois.

---

[13] Congressional Record, January 3, 2017, v. 163, nº 1. Disponível em: <www.congress.gov/crec/2017/01/03/CREC-2017-01-03.pdf>. Acesso em: 8 mar. 2018, 12:30:13.

Mas arrasou por completo um pastor da Pensilvânia chamado David Wilkerson. O rosto de um dos garotos — o mais malvado dos sete — ficou gravado em sua memória. Outras pessoas leram o artigo, mas Wilkerson chorou em cima dele sem saber por quê.

Esse pastor acabaria criando um ministério mundial chamado Desafio Jovem, escreveria um livro que figuraria na lista de *best-sellers* do *New York Times* intitulado *A cruz e o punhal* e daria início à Times Square Church. Tudo começou, no entanto, com uma sugestão do Espírito: um artigo de revista. Como Paulo reagiu à visão de um homem da Macedônia pedindo ajuda, Wilkerson não conseguiria ignorar o que percebia como um sussurro de seu Senhor. Sentado em seu escritório tarde da noite em um domingo de fevereiro de 1958, ele discerniu a voz de Deus: "Vá para Nova York e ajude aqueles meninos".[14]

Mudar-se da Pensilvânia rural para ministrar às gangues da cidade de Nova York era uma sugestão insana, só não mais do que algumas das registradas nas Escrituras. Foi uma sugestão insana que levou um copeiro da Babilônia a reconstruir o muro de Jerusalém. Foi uma sugestão insana que levou Filipe a cruzar com um eunuco etíope no meio do nada. Foi uma sugestão insana que levou Ananias a orar por um terrorista chamado Saulo. E foi uma sugestão insana que levou a um encontro divino entre o apóstolo judeu chamado Pedro e o soldado romano chamado Cornélio.[15]

> Ao sair da sua zona de conforto, você ouve a voz de Deus com mais clareza.

---

[14] WILKERSON, Gary. **David Wilkerson:** The Cross, the Switchblade, and the Man Who Believed. Grand Rapids: Zondervan, 2014. p. 76.
[15] V. Neemias 1.11—2.5; Atos 8.26-40; 9.10-19; 10.1-44.

Antes de ler o artigo na *Life*, David Wilkerson empreendera uma viagem missionária à Argentina. Essa viagem produziu um "desassossego"[16] em seu espírito. É difícil definir o sentimento, mas é uma espécie de sexto sentido de que Deus o está preparando para alguma outra coisa, algum outro lugar. "Às vezes, você tem de ir para o outro lado do mundo", observou o filho de Wilkerson, Gary, "para perceber que não foi chamado para estar ali".[17] A viagem missionária causou não apenas um desassossego, como também a disponibilidade para ir a qualquer parte, fazer qualquer coisa. Na minha experiência, é esse mesmo o resultado desse tipo de viagem. Ao sair da sua zona de conforto, você ouve a voz de Deus com mais clareza. Em geral, trata-se de uma porta que leva até outra. Ou talvez eu deva dizer uma sugestão que leva a outra.

Frequência efetiva

Afasto o *zoom* agora para fazer uma observação importante. Aprender a discernir as sugestões divinas requer prática. Lembre-se, funciona como aprender uma nova língua. Nem sempre se capta as nuances a princípio. Mas, se der tempo ao tempo, você se aperfeiçoará no ouvir esses sussurros sutis. A boa notícia: Deus é paciente. No Reino de Deus, não são três bolas fora e você está eliminado. O modelo adotado é o das "70 vezes sete" segundas chances![18]

Existe um fenômeno na publicidade conhecido como frequência efetiva, que diz respeito ao número de vezes que você precisa ouvir uma mensagem antes de reagir a ela. O número sete representou a regra de ouro por muito tempo, mas o número mágico parece estar aumentando. Talvez porque existam vozes demais tentando chamar a nossa atenção.

---

[16] Ibid., p. 35.
[17] Ibid., p. 76.
[18] V. Mateus 18.22.

"Just do it."
"A cerveja que desce redondo."
"Você conhece, você confia!"

Não preciso dizer que a primeira propaganda é da Nike, preciso? E que as outras duas são da cerveja Skol e da Volkswagen, respectivamente? Nos Estados Unidos, a da Nike ficou 26 anos no ar. A do antiácido Alka-Seltzer, com o estribilho "*Plop, plop, fizz, fizz,* oh what a relief it is" (ou "*Tibum, tibum,* borbulha, borbulha, oh que alívio que dá"), ficou 43 anos. E a do cereal matinal Wheaties, "Breakfast of champions" ("O café da manhã dos campeões"), 87 anos.[19] São exemplos brilhantes de frequência efetiva, e me parece que Deus promove seus planos e propósitos de maneira bem semelhante. Com toda a paciência, ele nos instiga vezes e mais vezes e mais vezes. E costuma fazer isso usando linguagens diversas.

Já reparou nas maneiras diferentes pelas quais Deus chamava a atenção das pessoas nas Escrituras? E a quantidade de vezes que precisava fazê-lo? Esse é um estudo sobre frequência efetiva. Para Samuel, a frequência efetiva foi de quatro sussurros tarde da noite. Para Pedro, ela foi de um galo cantando duas vezes pela manhã. Para Saulo, foi de uma visão e uma voz ao meio-dia.[20]

Se você se parece comigo, Deus precisa insistir algumas vezes para conseguir a sua atenção total. E, por esse motivo, ele fala

> Com toda a paciência, Deus nos instiga vezes e mais vezes e mais vezes.

---

[19] PILCHER, Jeffry. Say It Again: Messages Are More Effective When Repeated, **The Financial Brand**, September 23, 2014. Disponível em: <https://thefinancialbrand.com/42323/advertising-marketing-messages-effective-frequency/>. Acesso em: 8 mar. 2018, 17:01:54.

[20] V. 1Samuel 3.2-10; Marcos 14.72; Atos 9.1-12.

em estéreo. Em outras palavras, sussurra em mais de uma língua. É o modo dele de se certificar dupla ou triplamente que aprendemos o que ele lança aqui para baixo. Quanto àqueles de nós um pouco mais lentos para captar as coisas, Deus é gracioso o bastante para dar duas, ou três, ou quatro confirmações. O apóstolo Paulo é a prova A e Ananias, a testemunha-chave.

> [...] "Vá à casa de Judas, na rua chamada Direita, e pergunte por um homem de Tarso chamado Saulo. Ele está orando; numa visão viu um homem chamado Ananias chegar e impor-lhe as mãos para que voltasse a ver". (Atos 9.11,12)

Você não imaginaria que derrubar Saulo do cavalo na estrada de Damasco seria sinal suficiente para convertê-lo em Paulo? Mas a frequência efetiva de Saulo exigia um pouco mais que isso. Primeiro, Deus falou em voz audível do céu. Segundo, falou por meio de uma visão dupla: Saulo teve uma visão de Ananias, enquanto Ananias teve uma visão de Saulo. Terceiro, Deus falou a Ananias transmitindo orientações bem detalhadas para ele ir ao encontro de Paulo na Rua Direita. E quarto, falou curando a vista de Paulo por milagre. Isso é som estéreo *surround*. É frequência efetiva. Era Deus se certificando *quadruplicadamente* de que Saulo lhe ouviria a voz.

Viés do *status quo*

O Espírito Santo usa vários chapéus nas Escrituras. Ele paira, presenteia, convence, revela e lembra. Mas, quando quer nos tirar da rotina, costuma mover o nosso espírito.

> O SENHOR moveu o espírito de Zorobabel [...].[21]

Esse mover do Espírito Santo pode ser um sentimento de desassossego, como experimentou David Wilkerson. Às vezes, começa

---

[21] Ageu 1.14, tradução livre da versão em inglês *New International Version*.

como um desejo decretado por Deus que se transforma em puro fogo. Às vezes, é uma ideia que atinge massa crítica. E, às vezes, Deus balança o barco — ou o faz virar.

Pode chamar de zumbido, empurrão, cotovelada ou impressão. Chamo de sugestão, que comparo ao cotovelo do Espírito Santo bem nas nossas costelas! O Espírito costuma nos mover do mesmo modo que somos chamados para incitarmos uns aos outros às boas obras. É a motivação para interromper, começar ou mudar.

Vai aqui uma bobagem estranha e pessoal: sempre ajusto o alarme do despertador em um número par. Não sei muito bem por que faço isso, mas sei que não sou o único. Toda vez que confesso essa idiossincrasia, gente "par" sai do armário. Gente "ímpar" também! De um jeito ou de outro, somos criaturas de hábito. A nossa tendência natural é fazer o que vimos fazendo, pensar o que já costumamos pensar e falar o que sempre falamos.

> Se continuar a fazer o que sempre fez, você receberá o que sempre recebeu.

A minha afinidade com os números pares, em se tratando de despertadores, é exemplo de um fenômeno chamado viés do *status quo*. O termo foi empregado pela primeira vez por dois psicólogos, William Samuelson e Richard Zeckhauser, no periódico *Journal of Risk and Uncertainty* há quase três décadas.[22] Traduzindo, trata-se da tendência de continuar fazendo o que se está fazendo sem pensar muito no assunto.

---

[22] SAMUELSON, William; ZECKHAUSER, Richard. Status Quo Bias in Decision Making, **Journal of Risk and Uncertainty** 1 (1988): 7-59. Disponível em: <www.hks.harvard.edu/fs/rzeckhau/SQBDM.pdf>. Acesso em: 8 mar. 2018, 18:58:14.

Já ofereceram a você um ano grátis da assinatura de uma revista? Elas são tão generosas, concorda? Não! As editoras de revistas, as empresas de telefonia celular, de televisão a cabo e de cartões de crédito entendem de viés do *status quo*. No término da oferta inicial, você se esquecerá de cancelar. E, mesmo que não esqueça, é preguiçoso demais para dar um telefonema e pedir o cancelamento de um produto ou serviço. É da natureza humana continuar a fazer o que se está fazendo, e aqui está o problema disso: se continuar a fazer o que sempre fez, você receberá o que sempre recebeu. Esperar algo diferente é a definição de insanidade.

O viés do *status quo* é um sério empecilho ao crescimento espiritual. Se não tomarmos cuidado, ele nos impedirá de discernir as sugestões divinas.

Na ciência da computação, ajustes padronizados ou *default* são automaticamente atribuídos a aplicações de *software*, programas de computador e *smartphones*. Esses ajustes de fábrica são chamados de predefinidos e têm como propósito estabelecer um protocolo que otimize o desempenho.

De maneira bastante parecida, todos temos ajustes *default* a ditar muito do que fazemos. Desde o modo de acordar ao modo de comer e interagir com os outros, inúmeras dimensões da nossa vida se tornam padronizadas. Um punhado de configurações *default* dita os nossos pensamentos e atos. A boa notícia é a seguinte: uma pequena mudança em um pré-ajuste pode ter como resultado uma mudança enorme.

Poucos anos atrás, tentei perder alguns quilos, mas estava encontrando a maior dificuldade para me livrar deles. Uma noite, ao desabafar com um amigo enquanto tomava um Caramelo Macchiato no Starbucks, ele olhou para a minha bebida e disse:

— Você sabe que está sabotando a si mesmo, não sabe?

O Caramelo Macchiato tem 250 calorias e aquele era o segundo do dia! Ou seja, o que foi que eu fiz? Fiz a única coisa que podia fazer se quisesse perder peso: mudei de bebida *default*.

Prestar atenção hoje a uma pequena sugestão do Espírito pode ter um enorme resultado amanhã.

A Divisão do Empurrão

Em 2010, o governo britânico incumbiu uma equipe de sete pessoas de aperfeiçoar os programas de governo baseando-se em ciência comportamental. Com a designação formal de Grupo de Percepções Comportamentais, ela se tornou conhecida como a Divisão do Empurrão. À equipe, foi destinado um orçamento modesto, e uma cláusula de caducidade garantiu que o experimento pudesse ser interrompido caso não vissem nenhum resultado.

O líder da equipe, David Halpern, apresentou o primeiro relatório oficial 20 meses após o início da administração de David Cameron como primeiro-ministro. Os secretários de gabinete se mostraram um pouco cínicos, mas Halpern conquistou-lhes a aprovação com quatro *slides*. O primeiro comprovava que uma modificação muito pequena de linguagem aumentava a coleta de impostos em 10 milhões de libras. O segundo observava que a melhor maneira de fazer que as pessoas providenciassem o isolamento do sótão de suas casas era oferecendo um "serviço de remoção de inservíveis do sótão". O terceiro *slide* revelava que incluir a imagem de um carro originária de uma câmera instalada na beira da estrada aumentava significativamente o pagamento de multas de trânsito. E o quarto mostrava que enviar mensagens de texto para infratores com multas vencidas dobrava a taxa de resposta.[23]

---

[23] HALPERN, David. **Inside the Nudge Unit:** How Small Changes Can Make a Big Difference. London: WH Allen, 2015. p. 3-4.

O nome Divisão do Empurrão foi uma homenagem aos escritores Richard Thaler e Cass Sunstein, que cunharam o conceito com seu *best-seller Nudge* [*Nudge: o empurrão para a escolha certa*]. Esse empurrão é um meio de incentivar e orientar um comportamento sem a necessidade de determiná-lo ou impô-lo. E é evidência de que pequenas mudanças nos insumos podem causar diferenças dramáticas nos resultados.

O exemplo clássico é o banheiro masculino no aeroporto Schiphol em Amsterdã. O *designer* do lugar, Aad Kieboom, estampou a imagem de uma mosca preta em cada mictório, o que reduziu os respingos em 80%. De acordo com Kieboom, "Ao ver a mosca, é nela que o homem mira".[24]

Outro exemplo divertido está na via costeira do lago de Chicago. Quando os motoristas deixam de observar o limite de velocidade de 40 km/h, a série de curvas em *S* fica bastante perigosa. O que a cidade de Chicago fez então? Antes da curva, eles pintaram uma série de faixas brancas que pouco a pouco vão se aproximando cada vez mais uma da outra, dando a impressão de que se está acelerando. A reação natural? Diminuir a velocidade.[25]

"Quando passamos de carro por esse trecho de estrada familiar", observaram Thaler e Sunstein, "descobrimos que as faixas nos falam alguma coisa, compelindo-nos de um modo muito gentil a pisarmos no freio antes do ponto máximo da curva. É o empurrãozinho de que estávamos precisando".[26]

Na minha experiência, Deus nos empurra com delicadeza de modo muito parecido. Um pensamento fugaz aqui, uma

---

[24] THALER, Richard H.; SUNSTEIN, Cass R. **Nudge:** o empurrão para a escolha certa. Rio de Janeiro: Elsevier Editora, 2009.
[25] Ibid.
[26] Ibid.

descarga de adrenalina ali. Ou, como aconteceu com David Wilkerson, um pouco de desassossego aqui ou muita angústia ali. Thaler e Sunstein têm um nome para quem projeta empurrões: arquitetos da escolha.[27] E ninguém se sai melhor nesse papel que o Espírito Santo.

Quando Deus sugerir que você ore, ore.

Quando Deus sugerir que você sirva, sirva.

Quando Deus sugerir que você doe, doe.

Deus o está preparando, mas você precisa obedecer à sugestão. E a sua obediência — seja orando, seja servindo, seja doando — pode ser justamente um milagre para alguém.

Seth Bolt ganha a vida criando música e se apresentando em cidades de todo o mundo com a banda Needtobreathe [Precisorespirar]. É sua paixão e seu chamado. O que muita gente não sabe, no entanto, é que, quando Seth não está trabalhando para a banda, ele e a esposa, Tori, têm um projeto paralelo pelo qual são igualmente apaixonados. Em 2015, Seth e o pai construíram uma casa na árvore luxuosa, no norte da Carolina do Sul. Foi nela que Seth e Tori se casaram e celebraram a lua de mel, e desde então essa casa tem sido uma bênção para convidados que chegam de todo o mundo com o intuito de se hospedarem e balançarem nos galhos da árvore.

> Quando Deus dá a visão, ele faz a provisão.

Não muito tempo depois do casamento, Seth e Tori sonharam em construir sua própria casa na árvore em Charleston, Carolina do Sul. Não só desejavam um lugar para se refugiarem quando precisassem de uma pausa, mas um lugar onde outras pessoas pudessem ir para se reconectar com Deus. Após a leitura

---

[27] Ibid.

de *A força da oração perseverante*, Seth e Tori puseram-se a desenhar um círculo em torno de uma propriedade de 30 acres perto de Charleston, na ilha Wadmalaw. Apaixonaram-se pela propriedade e seus carvalhos cobertos de musgo, mas então a realidade se abateu sobre eles. Tinham condições de comprar metade do lugar, mas de repente se estabeleceu uma guerra de lances pelo preço cheio englobando a propriedade inteira. Foi quando Seth e Tori sentiram a sugestão de darem um passo de fé.

Antes de contar o resto da história, deixe-me compartilhar algumas convicções. A fé não ignora a realidade, inclusive financeira. Ela considera os custos — reais e de ocasião. Mas, quando nada faz muito sentido, a fé nem sempre dá as costas e vai embora derrotada. Sabe que Deus pode suprir a diferença, por maior que seja. Por quê? Por ele ser o dono de milhares de cabeças de gado nas colinas! Quando Deus dá a visão, ele faz a provisão.

Durante mais de um ano, Seth e Tori procuraram seu pedaço de terra prometida e pediram a Deus que lhes desse um sinal. A porção de lá que escolheram? Oraram pedindo que Deus enviasse uma águia-calva. No dia em que precisavam tomar uma das decisões mais difíceis da vida — dar um lance ou desistir —, uma águia pousou em um dos carvalhos cheios de musgo, a cerca de 15 metros de onde estavam. Seth e Tori sabiam não se tratar de mera coincidência. Era providência. Pela fé, assinaram o contrato. Quando acabaram de fazê-lo, a águia-calva bateu asas e voou. Tempo divino, você diria? Pois no dia seguinte aconteceu algo ainda mais impressionante.

Seth e Tori não sabiam quando deram aquele passo de fé, mas não eram os únicos a descrever círculos em oração ao redor de 30 acres de terra. Outro casal circulava a mesma propriedade na mesma época, mas não com o intuito de comprá-la.

Circulavam-na apenas para que se cumprissem os planos de Deus, os propósitos de Deus. Quando esse casal, a quem Seth e Tori tinham encontrado só uma vez e rapidamente, descobriu o sonho dado por Deus ao casal Bolt envolvendo aquela propriedade, ofereceu-se para lhe dar a diferença! Observe a palavra que usei: *dar*, não *emprestar*. Quem faz uma coisa dessa? Quem dá a dois estranhos um monte de dinheiro a fim de que o sonho deles se realize? Já digo quem — alguém que ouve e obedece à voz mansa e delicada de Deus.

Nas palavras de Tori, "Impossível inventar esse tipo de coisa! Deus responde a orações!".

Sessenta segundos cravados

Compartilhei a minha oração mais arrojada e algumas não respondidas. Permita-me também compartilhar a que talvez seja a resposta mais rápida do mundo a uma oração! Quando nos mudamos para Washington, eu dirigia um ministério paraeclesiástico chamado Urban Bible Training Center em um bairro carente. Lora e eu vivíamos do salário de mês a mês, ou talvez seja melhor dizer de oferta em oferta, considerando que eu era um pregador itinerante. E o ministério estava longe de ser autossustentável, quando senti a sugestão do Espírito de contribuir com outro ministério paraeclesiástico da cidade. A sugestão não fazia sentido em termos financeiros. Como dar o que não se tem? Precisei de toda a fé que tinha para assinar um cheque de 350 dólares e silenciar o lado esquerdo lógico do cérebro por tempo suficiente para jogar o cheque dentro da caixa de coleta em frente à agência de correio.

Isso feito, entrei na agência para pegar a correspondência da nossa caixa postal. No meio dela havia uma carta da Mustard Seed Foundation com um cheque de 10 mil dólares. Isso corresponde a uma rentabilidade de 2.857% em 60 segundos cravados.

Não acredito em "chamar à existência" e "reivindicar".

Não acredito que se possa ser mais generoso que Deus.

Quando 60 segundos apenas são tudo o que separa o dar do receber, é difícil deixar de perceber a relação de causa e efeito. Foi um momento Lucas 6.38: "Deem e será dado a vocês: uma boa medida, calcada, sacudida e transbordante será dada a vocês. Pois a medida que usarem também será usada para medir vocês".

Deus não é um caça-níqueis. E o prêmio que estamos buscando é eterno, não material. Mas não há como superá-lo em generosidade. Se você der pelos motivos errados, no reino dele sua atitude não será computada. Mas, se der pelos motivos certos, estará lançado o desafio! A caixa postal localizada no endereço 45 L Street NW é uma das minhas sarças ardentes. Deus sussurrou, em alto e bom som!

> O prêmio que estamos buscando é eterno, não material.

O poder de uma única sugestão

Quero voltar agora a David Wilkerson. Depois de obedecer à sugestão do Espírito para se mudar para a cidade de Nova York, Wilkerson levou Nicky Cruz, o cabeça da gangue infame Mau Maus, a Cristo. John Sherrill, editor da *Guideposts*, converteu esse testemunho na primeira história em capítulos publicada pela revista. E a história da *Guideposts* acabou se transformando em *A cruz e o punhal*, um *best-seller* do *New York Times* que vendeu mais de 15 milhões de cópias.

Como escritor, amo saber como a negociação desse livro aconteceu. Ela é um testemunho do poder de uma única sugestão do Espírito. Em vez de procurar uma editora cristã, David Wilkerson e John Sherrill foram atrás de Bernard Geis, um dos pioneiros em publicações sensacionalistas na década de 1960. Geis estava prestes a lançar *Sex and the Single Girl* [A vida sensual da mulher solteira], de Helen Gurley Brown, um livro que venderia 2 milhões de cópias nas três primeiras semanas![28] Geis era mestre em forjar truques publicitários e criar controvérsia para vender cópias de suas publicações; então, o que um editor como ele haveria de querer com um pregador como David Wilkerson?

Conseguir um contrato era uma aposta muito distante da realidade, para dizer o mínimo. De modo que Wilkerson disse a Sherrill que queria estender uma porção de lã diante do Senhor. Sherrill não fazia nem ideia do que era isso. Wilkerson agiu exatamente como eu quando exploramos a linguagem das portas. Explicou como Gideão discerniu a vontade de Deus estipulando condições muito específicas e práticas por meio das quais o Senhor revelaria sua vontade.

Wilkerson dispôs diante do Senhor duas porções de lã em oração. A primeira era que Geis, um executivo muito ocupado, conseguisse se reunir com eles naquele mesmo dia — uma sexta-feira. Se você já submeteu a proposta de um livro para apreciação, sabe que as decisões editoriais não funcionam desse jeito. O processo costuma ser bem mais longo. A segunda porção de lã era que Geis lhes oferecesse um adiantamento de 5 mil dólares de imediato. "Não parece muito", Sherrill comentou, em retrospecto, "mas na época dava para comprar uma casa com esse valor".[29]

A primeira condição foi satisfeita quando Geis lhes ofereceu dez minutos naquela tarde, mas ele pareceu perplexo com o discurso que ouviu. O que chamou sua atenção? Geis ficou admirado

---

[28] Sex and the Single Girl, **Wikipedia**. Disponível em: <https://en.wikipedia.org/wiki/Sex_and_the_Single_Girl>. Acesso em: 9 mar. 2018, 20:55:26.
[29] Wilkerson, **David Wilkerson**, p. 114.

de verdade com a coragem de Wilkerson em arriscar a vida para alcançar as gangues de Nova York e, embora descrente, não conseguia acreditar que membros de gangue e viciados em heroína estivessem encontrando a religião. "Ponha uma proposta no papel", pediu Geis. "Se a aprovarmos, eu lhes darei 5 mil dólares."[30]

Mas a história não acaba aí.

Arrepios

Em 1968, um ator e cantor hollywoodiano chamado Pat Boone leu o livro que Bernard Geis publicara. Nas palavras de Boone, "Fiquei arrepiado".[31] Já resumi aqui o que chamo de *Teste do arrepio*, mas quero levar você um passo adiante. Em termos fisiológicos, arrepios são uma reação involuntária a uma emoção forte. Nesse caso, acredito que fossem a prova física inicial de um estímulo espiritual. Esse sentimento é uma sugestão do Espírito. E levou a uma versão cinematográfica de *A cruz e o punhal*, em que Pat Boone desempenhou o papel de David Wilkerson. A associação de imprensa estrangeira Hollywood Foreign Press Association não deu um Globo de Ouro ao filme, mas ele ocupa a posição de um dos mais vistos do mundo, tendo sido assistido por 50 milhões de pessoas em 150 países.[32] E tudo começou com arrepios.

Entendo que os arrepios talvez não sejam um teste crucial para tipos intelectuais, e não recomendo tomar decisões que mexam com a vida toda em um estado emocional aguçado. Mas tampouco desconsidere a intuição. Na verdade, preste bastante atenção nas coisas que o deixam de cabelo arrepiado.

---

[30] Ibid., p. 114-115.
[31] Ibid., p. 132.
[32] The Cross and the Switchblade, **Wikipedia**. Disponível em: <https://en.wikipedia.org/wiki/The_Cross_and_the_Switchblade>. Acesso em: 9 mar. 2018, 23:38:28.

Linda Kaplan Thaler é a guru da propaganda responsável pelo pequeno *jingle* "I don't wanna grow up, I'm a Toys R Us kid".[33] Também é a criadora do "momento Kodak".[34] Como Linda discerne boas ideias dos fiascos? Sem o menor vestígio de uma apologia, ela respondeu: "Administrei a conta da Kodak baseada nos meus arrepios".[35]

Eu recomendaria enfaticamente testes de mercado, estratégias e planejamento. Contudo, algumas das melhores ideias nessa área de negócios começam com arrepios. E isso vale para a área de negócios do Pai também. Os arrepios não compõem uma das sete linguagens do amor que esboço neste livro, mas formam um subdialeto. Não ignore o que causa arrepios em você. Pode ser que você esteja ouvindo a voz do mesmo Espírito Santo que "aquecia" o coração de John Wesley.

> Não ignore o que causa arrepios em você.

É impossível calcular todo o impacto da vida de uma pessoa, seja ela quem for, porque a nossa influência sobrevive a nós. Isso se aplica a um filme, a um livro ou a uma organização também. Mas acho justo dizer que a influência de David Wilkerson excedeu sua imaginação mais desvairada. E, como tantos milagres, tudo começou com um sussurro. Se Wilkerson ignorasse a sugestão do Espírito por meio do artigo da *Life* de 1958, quantas histórias subsidiárias deixariam de ser contadas?

---

[33] "Não quero crescer, sou uma criança Toys R Us". Publicidade da cadeia de lojas de brinquedos Toys R Us. [N. do T.]
[34] Linda Kaplan Thaler, **Wikipedia**. Disponível em: <https://en.wikipedia.org/wiki/Linda_Kaplan_Thaler>. Acesso em: 9 mar. 2018, 23:48:53.
[35] Thaler, Linda Kaplan; Koval, Robin. **The Power of Small:** Why Little Things Make All the Difference. New York: Broadway Books, 2009. p. 78.

O mesmo se aplica à sugestão do Espírito para Pat Boone, proveniente de arrepios.

No fim da vida, todos teremos a nossa cota justa de arrependimentos pelos erros cometidos. Mas aposto que lamentaremos ainda mais as oportunidades perdidas. Eis como, por que e quando deixamos de alcançar a glória de Deus. Como então termos certeza de que não perderemos as oportunidades ordenadas por Deus? Precisamos aumentar o volume da voz mansa e delicada de Deus e nos certificarmos de que é dele a voz que soa mais alto na nossa vida.

11

Joystick

A sétima linguagem: Dor

[...] nas cidades de Judá e nas ruas de
Jerusalém, que estão devastadas, desabitadas,
sem homens nem animais, mais uma vez se
ouvirão as vozes de júbilo e de alegria [...].
— Jeremias 33.10,11 — 2 parte

Martin Pistorius era um menino feliz e saudável. Aos 12 anos, no entanto, uma doença misteriosa o deixou em coma por três anos. Quando enfim despertou, não conseguia se mexer nem falar. A síndrome do encarceramento paralisa todos os músculos voluntários do corpo com uma curiosa exceção: o movimento vertical dos olhos. Martin ficou reduzido a um estado vegetativo permanente. Especialistas disseram a seus pais que ele tinha zero de inteligência e zero de consciência. Estavam errados, mas Martin não podia prová-lo. Não tinha a menor capacidade de transmitir pensamentos ou sentimentos para o mundo exterior; era um prisioneiro encarcerado no próprio corpo.

Martin foi entregue aos cuidados de um centro de assistência médica dia após dia, semana após semana, mês após mês por treze anos e meio. Quando o forçavam a engolir uma comida escaldante, não podia expressar quanto doía. Quando necessitava de ajuda, não podia nem chorar como um bebê. E, porque os especialistas achavam que seu nível intelectual era de uma criança começando a andar, colocavam-no diante de uma televisão sintonizada em *Barney e seus amigos* e nos *Teletubbies*.

Testemunha silenciosa do mundo a seu redor, Martin se sentia muito só, completamente impotente. Ou quase. "Eu estava enterrado vivo", conta Martin em suas memórias, *Ghost Boy* [Quando eu era invisível]. "A única pessoa que sabia da existência de um menino dentro daquela casca inútil era Deus. Eu não fazia ideia da razão por que sentia sua presença tão forte. Ele estava comigo enquanto a minha mente trabalhava para se recompor. Era tão presente para mim quanto o ar, tão constante quanto o respirar."[1]

Todo mundo, até mesmo seu pai e sua mãe, agiam como se ele não existisse. Ninguém achava que estivesse ali — exceto uma enfermeira chamada Virna. Ela acreditava que Martin estava mais consciente do que as pessoas se davam conta. Assistira a um programa de televisão sobre nova tecnologia que, com o auxílio de um dispositivo eletrônico, possibilitava a comunicação às vítimas de derrame cerebral incapazes de falar. Por isso, sussurrou-lhe palavras de esperança: "Você acha que seria capaz de fazer algo parecido, Martin? Tenho certeza que sim".[2] Em razão da persistência de Virna, Martin foi levado para o Centro de Comunicação Aumentativa e Alternativa da Universidade de Pretória, África do Sul. Utilizando sensores infravermelhos que acompanhavam o movimento dos olhos, o médico pediu a Martin que identificasse imagens na tela: primeiro uma bola, depois

---

[1] PISTORIUS, Martin. **Quando eu era invisível:** a impressionante história de um menino preso ao próprio corpo. Bauru, SP: Astral Cultural, 2017.
[2] Ibid.

um cachorro, depois uma televisão. Martin empregou a única coisa sobre a qual tinha controle — o movimento dos olhos — para identificar cada um dos objetos.

Mais de treze anos após contrair a doença que o aprisionou dentro do próprio corpo, ele aprendeu a se comunicar com uma voz computadorizada usando um *joystick*. Dois anos mais tarde, conseguiu o primeiro emprego. Foi à faculdade. Abriu a própria empresa. Casou-se. Escreveu um livro. Tudo isso com um *joystick*.

Sei que alguns dos leitores deste livro se sentem muito como Martin: desencorajados demais, frustrados demais, incompreendidos demais. Mesmo no meio de uma multidão, vocês se sentem solitários. Há dias melhores, mas duram pouco. Vocês nunca sabem quando a depressão baterá à porta.

Vocês precisam saber que não estão sozinhos.

Não há um só entre nós que não lute contra segredos vergonhosos, temores debilitantes e lembranças amargas. Se as estatísticas forem válidas, 6,7% de nós lidam com depressão, 8,7% têm algum tipo de fobia e 18% sofrem de alguma desordem de ansiedade.[3] Os desafios emocionais são reais, mas também o é a esperança.

O fundo do poço

A Bíblia é um livro sobre pessoas reais, com problemas reais, que vivenciam dores reais. Começa no jardim do Éden, com uma decisão pecaminosa. As consequências iniciais são dor de parto e dolorosa labuta para produzir comida.[4] O resultado disso, no

---

[3] Facts and Statistics, **Anxiety and Depression Association of America**. Disponível em: <www.adaa.org/about-adaa/press-room/facts-statistics>. Acesso em: 10 mar. 2018, 16:10:31.

[4] V. Gênesis 3.16,17.

entanto, é dor do começo ao fim: física, emocional e espiritual. A boa notícia é que o céu é zona livre de dor.[5] Mas, entre aqui e lá, a dor está garantida.

O livro da Bíblia mais antigo é Jó, cuja vida é a personificação da dor e do sofrimento. Jó perdeu a família em uma catástrofe. Perdeu a fortuna e a saúde. Pior de tudo, perdeu a esperança. Era um homem derrotado e acabou pedindo a Deus que desse cabo de sua vida. Todavia, mesmo nas circunstâncias mais calamitosas, restava-lhe um fiapo muito tênue de alegria: "Pois eu ainda teria o consolo, minha alegria em meio à dor implacável, de não ter negado as palavras do Santo" (Jó 6.10).

A versão *Almeida Revista e Atualizada* diz: "[...] saltaria de contente na minha dor, que ele não poupa [...]".

A *Nova Tradução na Linguagem de Hoje*: "[...] daria pulos de alegria, mesmo sofrendo muita dor [...]".

A *Almeida Revista e Corrigida* traz: "Isto ainda seria a minha consolação e me refrigeraria no meu tormento [...]".

> A alegria não nega a realidade, mas a desafia.

O termo hebraico para "alegria" aparece uma única vez nas Escrituras — refere-se à alegria rara, extrema. Uma alegria que não nega a realidade, mas que a desafia. É o júbilo triunfante diante de perda assombrosa. Sua tradução mais literal: "saltar como um cavalo a ponto de arrancar faíscas das pedras".[6] Não é só pular de alegria; é dançar sobre o desapontamento.

---

[5] V. Apocalipse 21.4.
[6] LOGOS BIBLE SOFTWARE, Job 6:10, **Gesenius's Hebrew and Chaldee Lexicon to the Old Testament Scriptures**.

De algum modo, Jó tirou da situação uma pequena medida de prazer, apesar da dor. Teria ele mudado as circunstâncias se pudesse? Em um piscar de olhos. Mas Jó encontrou alegria em um fato simples: não negar as palavras do Santo.

Em tempos difíceis, podemos ter a impressão de que o Todo-poderoso nos deu as costas. Em geral, o que nos dá vontade de fazer? Temos a tendência de voltar as costas para ele. Mas é então que precisamos nos inclinar e apoiar nele. Foi o que Jó fez. Ele não se desvinculou de Deus; não parou de ouvir.

Posso desafiar você a fazer a mesma coisa?

Talvez Deus esteja dizendo algo que não pode ser ouvido de nenhuma outra forma.

Este é o capítulo mais difícil de escrever para mim, e provavelmente o mais difícil de ler. A dor não é agradável. Mas C. S. Lewis foi preciso: "Deus nos sussurra em nossos prazeres [...] mas brada em nosso sofrimento".[7]

Por favor, ouça-me. Todo prazer conhecido do homem é um presente de Deus.

Sexo? É ideia de Deus.

Comida? Ideia de Deus.

Recreação? Ideia de Deus.

Esses prazeres se convertem em dor quando os usamos mal e abusamos deles, mas, não se engane, todo prazer em sua forma mais pura é um presente de Deus. Sim, podemos transformá-los em buscas pecaminosas quando tentamos satisfazer necessidades legítimas de maneiras ilegítimas. Mas o prazer é um presente de Deus do mesmo jeito. Ele sussurra por meio desses prazeres, pelos quais deveríamos lhe dar graças. Mas é melhor prestarmos muita atenção também na dor.

---

[7] LEWIS, C. S. O problema do sofrimento. São Paulo: Vida, 2006. p. 106.

O dom da dor

Antes de continuar, posso ousar chamar a dor de presente de Deus? Sem dor, ficaríamos nos ferindo sem parar, das mesmas maneiras. Sem dor, manteríamos nosso *status quo* apenas. Sem dor, ignoraríamos problemas capazes de nos matar.

Na verdade, a dor salvou a minha vida em 23 julho de 2000. Acordei naquela manhã de domingo com uma dor intensa no abdômen, mas a ignorei. Tentei pregar um sermão aquele dia, que se transformou no único sermão que não terminei. Cinco minutos depois de começar, eu estava dobrado de dor. Fui parar na sala de emergência do Washington Hospital Center, onde uma ressonância magnética revelou uma perfuração intestinal. Na mesma hora, me levaram de cadeira de rodas para a sala de cirurgia, onde poderia — talvez deveria — ter morrido. E com certeza morreria, não fosse pela dor intensa que não consegui ignorar.

> Nada chama tanto a nossa atenção como a dor.

Fiquei dois dias no respirador, lutando pela vida. Perdi mais de 11 quilos em sete dias. Creia-me, existem maneiras melhores de perder peso! O resultado disso é uma cicatriz de 30 centímetros de alto a baixo que divide o meu abdômen em dois.

Às vezes, a maior alegria se segue à pior dor, como podem atestar mães de recém-nascidos. Poucas pessoas infligem mais dor a si próprias que os atletas, mas a dor é esquecida no entusiasmo da vitória.

Se eu gostaria de chegar outra vez tão perto da morte? Não enquanto estiver vivo! Mas não trocaria a experiência por nada deste mundo. Não subestimo um único dia. E a presença de Deus naqueles dias difíceis foi tão real quanto qualquer outra coisa que já experimentei. Uma presença que se sente e uma voz que se ouve com mais clareza durante a dor.

Lembra-se de José, do Antigo Testamento? Ele tinha inteligência emocional zero na adolescência, o que não é tão incomum. Mas treze anos de sofrimento lhe valeram um diploma de pósgraduação em empatia. E foi um gesto de empatia — perceber o ar abatido no rosto de um companheiro de prisão — que acabou levando à salvação de duas nações.

A dor pode ser professora de teologia.

A dor pode ser conselheira matrimonial.

A dor pode ser instrutora para a vida.

Nada chama tanto a nossa atenção como a dor. Ela destrói falsos ídolos e purifica motivações falsas. Revela onde necessitamos de cura, onde necessitamos de crescimento. Ajusta o foco das prioridades como nada mais consegue fazer. E a dor é parte essencial do processo divino de santificação na nossa vida.

Muitos atores principais nas Escrituras suportaram noites escuras da alma. Jó perdeu tudo. Sara lutou contra a infertilidade. Moisés foi fugitivo durante quarenta anos. O sogro de Davi tentou matá-lo. Maria Madalena foi possuída pelo demônio. Pedro duvidou de si mesmo quando negou conhecer Jesus. E Paulo tinha lembranças de assassinatos gravadas a fogo na alma. Eles também tinham outra coisa em comum: na hora mais escura que viveram, ouviram o sussurro divino. E todos saíram do outro lado pela graça de Deus.

A minha oração em seu favor não é para que você seja livre da dor, mas para que aprenda a discernir a voz amorosa de Deus em meio à dor. Há uma lição que ele está tentando ensinar a você? Tem alguma parte do seu caráter que não pode ser refinada de nenhuma outra forma?

Com certeza não estou sugerindo que toda dor seja causada por Deus. A dor é resultado de maldição e, na maior parte das vezes, sintoma de pecado. Mas às vezes ela é um presente de Deus. Uma linguagem impossível de ser ignorada. Você pode deixar a Bíblia intocada na mesinha de cabeceira. Pode ignorar desejos, sonhos, portas, sugestões do Espírito e pessoas. Mas não pode ignorar a dor, não é?

Se me acompanhar por mais algumas páginas, prometo que a seguinte declaração fará mais sentido: a dor pode ser um dom de Deus por ele usado para sua glória e para o nosso bem. Ele a utiliza para nos arrancar de comportamentos que causam dependência. Para nos tirar de situações adversas. Para nos afastar de relacionamentos abusivos. Preste bem atenção e caia fora.

O milagre que Jesus repetiu talvez mais que qualquer outro foi a cura de leprosos. Você já parou para pensar no que esse milagre fazia? Entre outras coisas, Jesus restaurava o tato dessas pessoas. A maldição da lepra é a perda do tato. Os leprosos não conseguem sentir dor ou prazer. Ficam insensíveis ao mundo físico que os rodeia, e esse é um modo perigoso de viver. Jesus restituía o dom do tato, um dom que inclui tanto prazer quanto dor.

Dores crescentes

A expressão "sem dor não há ganhos" é mais antiga do que você pode imaginar. Não se originou com os vídeos de exercícios físicos de Jane Fonda na década de 1980. Remonta a um rabino judeu do século II que disse: "Conforme a dor, o lucro".[8]

Sejamos francos. A maioria de nós prefere a seguinte filosofia: sem dor, sem dor. Optamos pelo caminho da resistência menor,

---

[8] No Pain, No Gain, **Wikipedia**. Disponível em: <https://en.wikipedia.org/wiki/No_pain,_no_gain#cite_note-5>. Acesso em: 12 mar. 2018, 12:19:46.

mas isso não nos leva para onde Deus quer nos ver. Claro, não estou sugerindo que precisamos buscar a dor. Ela nos acha em pouquíssimo tempo. Mas, quando a dor chega, não deveríamos tentar contorná-la. Em vez disso, precisamos atravessá-la e aprender a discernir o que Deus está dizendo por meio da dor, da tristeza e do sofrimento.

Se servir a um propósito mais elevado, na verdade a dor pode produzir uma medida de prazer. Quando Deus respondeu à oração mais arrojada que já fiz e curou a minha asma, resolvi comemorar e validar o milagre dessa cura treinando para a minha primeira maratona. O plano de treinamento de 18 semanas é uma das coisas mais difíceis a que me dediquei na vida. Em poucas palavras, impus mais e mais dor a mim mesmo correndo distâncias cada vez maiores. Contudo, quando cruzar a linha de chegada da Maratona de Chicago, a dor ficará no passado. Mas a lembrança dessa realização durará para sempre.

Quando me exercito, uso uma montagem para treinos da trilha sonora de *Rocky IV*. Ela me ajuda a fazer algumas repetições extras, a dar alguns passos a mais. Assisti ao filme tantas vezes que consigo imaginar Rocky Balboa correndo em direção ao topo de uma montanha coberta de neve. Ele serra madeira, derruba troncos. Anda de quatro arrastando um trenó e a passos largos, com neve até a cintura, enquanto carrega uma tora nos ombros. Faz cadeira romana em um velho celeiro, trabalha o abdômen com uma canga de boi e os ombros com uma carruagem a cavalo. Basicamente, os mesmos exercícios da sua rotina de treino, certo? Ou não. Mas de que outra maneira você pretende derrotar Ivan Drago?

> Ouça com atenção o que Deus está dizendo em tempos difíceis.

Lembra-se do mantra de duas palavras repetido sem parar por Duke, o treinador de Rocky? Às vezes, eu o ouço dentro da minha cabeça quando chego a um ponto do treino em que pareço não fazer mais progressos. Quatro vezes no celeiro e duas no ringue, Duke diz: "Sem dor, sem dor, sem dor!". Não acho que seja uma negação da dor lancinante que Rocky está se infligindo, mas um lembrete de que há um propósito além da dor. Existe a vitória do outro lado da dor.

Você é capaz de atravessar praticamente qualquer coisa se houver uma luz no fim do túnel. E, para um seguidor de Cristo, sempre há. Mas aqui vai uma advertência: *não se concentre tanto em fugir das circunstâncias difíceis de que você não tira nenhum proveito*. Às vezes, as circunstâncias que tentamos mudar são as mesmas usadas por Deus para nos transformar. Por isso, antes de tomar um analgésico, ouça com atenção o que Deus está dizendo em tempos difíceis.

Isso nos traz de volta a Jó e mais algumas lições abrangentes.

Primeiro, *não vamos fingir que a dor não existe*. O que quer que você faça, não finja uma coisa para parecer outra. Isso não beneficia ninguém. Não há problema em não estar bem! Esse reconhecimento é o primeiro passo do processo de cura. De modo geral, os norte-americanos não são bons em usar roupas de pano de saco e sentar em cima de cinzas. Mas há um tempo apropriado para rasgar as roupas em luto, raspar a cabeça e prostrar-se no chão em adoração.[9] Quando não conseguimos ficar de luto, as feridas permanecem abertas. Ficar de luto faz parte do processo de cura. É um antisséptico emocional que limpa a ferida. E pessoas diferentes ficam de luto de diferentes maneiras; portanto, por favor, dê aos outros um pouco de espaço.

---

[9] V. Jó 1.20.

Segundo, *não apresentemos desculpas para a dor com clichês banais.* Vale a pena observar que os amigos de Jó lhe serviram de grande consolo enquanto mantiveram a boca fechada. Quando alguém sofre ou está de luto, sentimo-nos constrangidos a dizer as palavras certas. O meu conselho? Fale menos e ouça mais. Você pode dizer muita coisa falando pouco.

Noite escura

Madre Teresa dedicou a vida a amar os enfermos, os pobres e os moribundos das favelas de Calcutá, Índia. Em 1979, agraciaram-na com o Prêmio Nobel da Paz. Em 2003, ela foi beatificada pela Igreja católica. Com esse tipo de honraria, é fácil pensar nela como alguém que ocupa uma categoria própria: além da dúvida, além do desânimo. Mas os diários particulares de Madre Teresa contam uma história diferente. Ela escreveu: "Dizem-me que Deus vive em mim — e, no entanto, a realidade da escuridão, e do frio, e do vazio é tão grande que nada me toca a alma".[10]

> Fé é compreender que às vezes o obstáculo é o caminho!

Soa meio parecido com Jó, não?

Até Jesus disse: "Meu Deus! Meu Deus! Por que me abandonaste?" (Mateus 27.46). Pendurado na cruz, ele se sentiu distante do Pai celestial; todavia, foi quando esteve mais perto de realizar os propósitos divinos. Não nos deixemos enganar. Quando Deus

---

[10] SCOTT, David. Mother Teresa's Long Dark Night, **Catholic Education Resource Center**. Disponível em: <www.catholiceducation.org/en/faith-and-character/faith-and-character/mother-teresas-long-dark-night.html>. Acesso em: 12 mar. 2018, 17:04:31.

parece nos desapontar, está nos preparando para algo talvez além da nossa capacidade de compreensão no presente momento.

Não sei se isso é encorajador ou desencorajador; talvez um pouco das duas coisas. Se Madre Teresa não estava imune às noites escuras da alma, provavelmente nós tampouco. Como Jesus teve momentos em que o Pai pareceu distante, é provável que também venhamos a ter. Posso propor um lembrete? A fé não é voar acima da tempestade, mas resistir a ela. É confiar no coração de Deus mesmo quando não conseguimos lhe enxergar a mão. É compreender que às vezes o obstáculo é o caminho!

Se quiser saber onde Deus o usará, você não precisa olhar além da sua dor. Ajudamos pessoas nos lugares em que nos ferimos. As nossas provações se convertem em plataformas. E a fraqueza é na verdade a nossa força por ser onde o poder de Deus se aperfeiçoa.[11]

Se Jó suportou "meses de engano, noites de aflição e desgraça" (Jó 7.3, *A Mensagem*), há uma boa chance de que também venhamos a enfrentá-los. Mas, como ele, podemos sair do outro lado mais abençoados que antes.

> O SENHOR abençoou o final da vida de Jó mais do que o início [...]. (Jó 42.12)

Posso ousar a ponto de crer nisso para você e para mim?

Não tenho como prometer que a nossa vida será livre de dores, nem o faria mesmo se pudesse. Mas tenho como prometer que aquele que começou a boa obra vai levá-la até a conclusão.[12] E também que na presença do Senhor há plenitude de alegria.[13]

---

[11] V. 2Coríntios 12.7-10.
[12] V. Filipenses 1.6.
[13] V. Salmos 16.11.

Mas a nossa jornada espiritual é tudo, menos linear. É cheia de zigue-zagues, de altos e baixos. E costuma ser sempre dois passos adiante, um passo para trás. Todavia, Deus nunca para de nos amar ao longo de cada época da vida.

Deus está implementando seu plano, quer o saibamos, quer não. A nós, cabe pôr em ação nossa salvação "com temor e tremor" (Filipenses 2.12). E, quando penso em "pôr em ação", penso em Rocky Balboa na Rússia. Os dons de Deus são gratuitos, mas não fáceis. A terra prometida era o dom de Deus para seu povo escolhido, mas ele ainda precisou lutar contra gigantes para se apoderar da terra. Você também precisará. E, como eles, adquirirá algumas cicatrizes da batalha.

A dor faz parte da maldição, mas isso não quer dizer que Deus não possa redimi-la, reciclá-la e falar por intermédio dela. É uma linguagem difícil de discernir, sem dúvida, mas, como as demais linguagens, é uma linguagem do amor. E não ousemos nos esquecer de que temos um Salvador sofredor, que suportou a cruz pela alegria que lhe fora proposta.[14]

A dor durante a busca de um objetivo piedoso é suportável, como evidenciado pela cruz. A dor mais lancinante não foi produzida por açoite (Mateus 27.26) ou por pregos de quase 18 centímetros;[15] foi pelo peso total do pecado sobre seus ombros imaculados. Aquele que não conheceu o pecado se fez pecado por nós,[16] e uma coisa o sustentou: você. Sim, o nosso pecado o colocou naquele lugar. Mas o amor que ele tem por nós o manteve lá. Em poucas palavras, você é digno da cruz de Cristo.

---

[14] V. Hebreus 12.2.
[15] Jesus' Nails, **All About Jesus Christ**. Disponível em: <www.allaboutjesuschrist.org/jesus-nails-faq.htm>. Acesso em: 13 mar. 2018, 16:17:03.
[16] V. 2Coríntios 5.21.

E se ele se dispôs a pender da cruz que lhe estava destinada, com certeza podemos carregar a nossa! A Palavra de Deus escolheu morrer a morte mais tormentosamente dolorosa para sussurrar seu amor por nós bem alto e claro.

A sombra da morte

A congressista Jaime Herrera Beutler e o marido, Dan, mal podiam esperar para ouvir o coraçãozinho de seu bebê. Era um *checkup* pré-natal rotineiro, mas o rosto do responsável pela ultrassonografia lhes dizia que havia alguma coisa errada, muito errada. Foi assim que descobriram que sua menininha tinha síndrome de Potter, doença rara em que a falta de líquido amniótico inibe o desenvolvimento do pulmão. O bebê de Jaime tinha o tipo mais grave da síndrome: falência bilateral dos rins. Explicaram à mãe que, se ela não interrompesse a gravidez, sofreria um aborto, ou a bebê seria natimorta, ou se asfixiaria nos braços da mãe após o parto.

Nada prepara você para notícias como essa.

O que fazer quando o seu médico diz que a probabilidade de a sua bebê sobreviver é zero? Que a doença da sua bebê é 100% fatal? Que nunca houve uma exceção para esse prognóstico?

Enquanto o médico dava a notícia, Jaime sentiu a bebê se mexer.

— Para mim, era um sinal. Não seria eu a interromper aquela gravidez — disse ela.

Apesar da taxa de fatalidade de 100%, Dan e Jaime resolveram entregar a Deus toda a gravidez a fim de que ele realizasse um milagre. Também receberam uma palavra de Deus pela Bíblia.

Nada derruba os pais a ficar de joelhos que um filho enfermo. Foi o que aconteceu com Davi depois de seu caso amoroso com Bate-Seba. Ele ainda recolhia os cacos da própria vergonha, quando recebeu a notícia de que seu filho estava mortalmente enfermo. O que fez Davi? Lutou com Deus em favor da criança. Não há um final feliz para essa história bíblica. Durante sete dias, Davi vestiu pano de saco e não comeu. No entanto, apesar de todos os esforços, seu filho morreu sete dias depois.[17]

> Não roube de Deus a oportunidade de fazer um milagre.

Jaime e Dan resolveram lutar pela bebê. Em retrospecto, chamaram a experiência de "temporada de luta". A propensão dos dois era de chorar, mas lutaram contra qualquer sentimento de desesperança. E, caso você se encontre em circunstâncias semelhantes, eu o desafiaria a seguir o exemplo deles. Nas palavras de Dan, "Não roube de Deus a oportunidade de fazer um milagre".

Não muito tempo depois de anunciar que a bebê deles, ainda não nascida, tinha síndrome de Potter, o jornal *USA Today* publicou uma reportagem sobre os Beutlers e sua bebê. Rob Volmer, um profissional de relações públicas que não tinha o hábito de ler o *USA Today*, por acaso descobriu o artigo em um saguão de hotel enquanto esperava um cliente. O artigo chamou a atenção de Rob porque ele e a esposa tinham um bebê com síndrome semelhante, cuja vida fora salva por infusões de solução salina no âmnio.

Que loucura, certo? Errado! Deus é grande o suficiente para falar por artigos de jornal. Grande o suficiente para pôr estranhos em contato. Nesse caso, ele fez as duas coisas.

Rob entrou em contato com um conhecido comum e depois com Jaime. Fez que os Beutlers conversassem com a dra. Jessica Bienstock, perinatologista no Johns Hopkins Hospital em

---

[17] V. 2Samuel 12.16-18.

Baltimore, Maryland. A dra. Bienstock não se mostrou otimista ao ver o primeiro ultrassom em virtude das aparentes deformidades da bebê, mas, uma semana após as infusões iniciais no âmnio, a cabeça disforme, os pés virados para dentro e o tórax pequenino pareciam normais.

Havia um fiapo de esperança. E, nas palavras de Dan, "A diferença entre 0% de esperança e 0,00001% de esperança é enorme".

Durante o resto da gravidez, Jaime e Dan viveram no vale da sombra da morte, mas fixaram morada na terra da esperança.[18] Continuaram lutando até 11 de julho de 2013, dia em que a bebê nasceu, prematura de dois meses. Abigail pesava 1,250 quilo. Mas deu um berro, e ninguém berra sem pulmões que funcionem! O primeiro pensamento de Jaime? *Eis o nosso milagre!*[19]

Temporada de luta

Quando você recebe um diagnóstico difícil de digerir, ou um sonho se transforma em pesadelo, ou quando o seu casamento se esgarça, você tem escolhas a fazer. Pode bater em retirada ou fincar os pés nas promessas de Deus. Pode desistir, cedendo à culpa, ao medo ou à raiva, ou lutar em oração como se dependesse inteiramente de Deus ou continuar trabalhando como se dependesse inteiramente de você.

Para Jaime, lutar significou acordar às 4 da manhã para viajar até Baltimore e fazer as infusões, depois passar longos dias no Congresso. Para Dan, lutar significou deixar a faculdade de direito em compasso de espera e administrar a diálise noturna de Abigail. Por fim, significou também doar-lhe um dos rins.

---

[18] V. Atos 2.26, *A Mensagem*.
[19] Esse relato foi feito ao autor por Dan Beutler e é usado com permissão dos Beutlers.

Lutar pelo que você acredita é mais difícil do que ceder ao que teme, mas é a única opção para quem quer viver pela fé.

Onde você desistiu de Deus?

Onde a esperança foi reduzida a nada?

Eis onde você precisa fixar morada na terra da esperança.

Onde precisa fazer a sua oração mais arrojada.

É tempo de lutar.

Lutar pelo seu casamento.

Lutar pelos seus filhos.

Lutar pela sua saúde.

Lutar pelo seu sonho.

Lutar pela sua fé.

Lutar por aquele amigo perdido.

Lutar por aquele campo missionário.

Lutar não é fácil, mas trago boas notícias. Deus luta por você! Muito antes de você despertar esta manhã, o Espírito Santo intercedia em seu favor, e muito antes de você ir dormir esta noite, ele ainda estará intercedendo em seu favor. Ele se opõe a quem luta contra nós.[20] E, se sua luta for por uma causa justa, juro

> Pare de viver como se Jesus continuasse pregado na cruz.

a você, Deus está lutando por você! Pela fé, ele trava as nossas batalhas por nós.

Lembra-se do escudo sonoro que mencionei no primeiro capítulo? De acordo com o salmista, Deus entoa canções de livramento ao nosso redor o tempo todo.[21] Pense nessas canções em som *surround* como a nossa primeira linha de defesa.

---

[20] V. Salmos 35.1.
[21] V. Salmos 32.7.

A intercessão do Espírito Santo é a segunda, e existe a terceira: Jesus assentado à direita do Pai, intercedendo em nosso favor.[22]

Pare de viver como se Jesus continuasse pregado na cruz.

A única coisa pregada na cruz é o nosso pecado.[23]

Sabia que Deus nunca tira os olhos de você? Sabe por quê? Porque você é a menina dos olhos dele![24] Além disso, ele mantém os ouvidos sintonizados na sua voz, a ponto de ouvir mais que palavras.

> Escuta as minhas palavras, SENHOR;
> Considera os meus suspiros.[25]

O suspiro é uma respiração longa, profunda. Uma reação fisiológica à tristeza. Assemelha-se muito ao sussurro gentil da voz mansa e delicada. Suspirar é o que fazemos quando não sabemos o que dizer. Todavia, de acordo com o salmista, é mais que um sinal de aflição de baixa frequência; é uma oração sem palavras.

A morte do meu sogro, Bob Schmidgall, poderia figurar entre as maiores comoções da minha vida. Aos 55 anos de idade, ele estava no auge da vida. Recebera um atestado de saúde perfeita do médico dois dias antes do ataque do coração que o levou. Naqueles dias de luto intenso, descobri-me suspirando sem parar. Foi quando aconteceu de deparar com três palavras que estão entre as mais reconfortantes de todas as Escrituras: "Considere os meus suspiros".

Mesmo na nossa dor mais profunda, Deus nos ouve. Está em tão íntima sintonia conosco que ouve os nossos suspiros sem palavras. Não só isso, como intercede por nós com

---

[22] V. Romanos 8.34.
[23] V. Colossenses 2.14.
[24] V. Salmos 17.8.
[25] Salmos 5.1, tradução livre da versão *Holman Christian Standard Bible*.

gemidos inexprimíveis.[26] Exatamente o que ouviríamos se conseguíssemos escutar um pouco melhor. Também ouviríamos as canções de livramento em som *surround*. Como suas misericórdias se renovam a cada manhã,[27] suas intercessões amorosas nunca cessam.

O sacrifício de louvor

Como Jó sobreviveu ao inferno na terra? "[...] Jó [...] prostrou-se com o rosto em terra, em adoração [...]." (Jó 1.20.)

Se você quiser sobreviver aos tempos difíceis, precisa entregar a Deus um sacrifício de louvor. Sei que é mais fácil falar do que fazer, mas não há outro caminho. E o louvor mais difícil costuma ser o mais elevado.

Foi assim que Jó sobreviveu à noite escura da alma.

Foi assim que Davi sobreviveu aos anos de deserto.

Foi o que tirou Paulo e Silas da prisão.

Tenho um pensamento que é repetido na nossa igreja o tempo todo: *Não deixe o que há de errado com você o impedir de adorar o que há de certo com Deus.* Não permita que a voz da condenação o impeça de adorar a Deus; cante mais alto que ela. Se a sua adoração se basear no seu desempenho,

> O louvor mais difícil é o mais sublime.

a verdade é que você não está adorando a Deus de modo algum. Esse tipo de adoração é uma forma de autoadoração porque fundamentada no que você faz, em vez de em quem é Deus.

O único modo de abafar a dor é cantando mais alto que ela. Lembra-se do efeito Tomatis? Para que o seu canto seja mais alto que a dor, você tem de ouvir o sussurro de Deus.

---

[26] V. Romanos 8.26.
[27] V. Lamentações 3.22,23.

Durante a longa recuperação após a perfuração do meu intestino, aprendi a adorar a Deus deixando uma música no modo repetição e cantando-a até acreditar no que ela dizia. Há uma canção do Darrell Evans que pus para tocar centenas de vezes. Era a minha trilha sonora e acabou se tornando a minha realidade:

> Estou trocando minha enfermidade,
> Estou trocando minha dor.[28]

Deixe-me fazer algumas observações sobre a adoração.

Primeira: *o louvor mais difícil é o mais sublime*. Deus nos ama quando menos esperamos e menos o merecemos, mas temos dificuldade para retribuir o favor. Se você o adora só quando *sente* vontade de adorar, adorará cada vez menos. Se aprender a louvá-lo nos tempos difíceis, o melhor ainda está por vir. E não se esqueça, você é a alegria do Senhor. Ele é a sua?

Segunda: *o que você não converte em louvor, seja o que for, converte-se em dor*. Se internalizar a dor, ela só piora. Uma pequena ofensa com o tempo pode se transformar em tonelada de amargura, e, antes que você se dê conta, está em um mundo de sofrimento. E, se reclamar disso, ele se transforma em fratura exposta. Satanás quer manter você reprimido a ponto de se apartar de Deus e das pessoas. A melhor maneira de lidar com a dor é verbalizando-a para o Senhor. Como? Cante mais alto que ela. Cante em meio a ela.

Quero voltar agora para onde começamos. Se falta afinação à sua vida, talvez você tenha sido ensurdecido por um diálogo interno negativo que não deixa Deus dizer nada. Talvez você tenha dado ouvidos à voz da vergonha há tanto tempo que não consegue mais acreditar em nenhuma outra coisa a seu próprio respeito.

---

[28] EVANS, Darrell. Trading My Sorrows, **Integrity's Hosanna!** Music, 1998.

Ou talvez seja a voz de condenação do Inimigo que diz mentiras sobre quem você é na realidade.

É difícil ouvir a voz de Deus quando a dor grita. A maneira de silenciar essas vozes é cantando mais alto que elas.

Por fim: *cante como se você acreditasse*. Cremos mesmo no que cantamos? Então, talvez devêssemos enviar uma notificação para a nossa expressão facial. Ao fazê-lo, notifiquemos as nossas mãos e os nossos pés também. Quando você se entusiasma por alguma coisa, não é fácil ficar parado. Não acho que precise dançar em um arvoredo como o meu amigo Dick Eastman. Mas, se acredita nisso, não se limite a cantar. Declare.

Declaração de fé

Nunca me esquecerei da canção que cantamos na semana seguinte à minha oração mais arrojada e à cura divina da minha asma. Foi o coro de "Great Are You, Lord" [Grande és tu, Senhor], de All Sons & Daughters: "É teu fôlego nos nossos pulmões, por isso derramamos nosso louvor".[29] Quase desmaiei quando cantei isso. Por quê? Porque acreditei no que estava cantando.

Não fazemos confissão de fé.

Fazemos profissão de fé.

Steve Foster, técnico assistente do Colorado Rockies, encarregado dos lançadores, compartilhou há pouco tempo uma história que me fez gargalhar. Há quase três décadas, quando convocado pelo Cincinnati Reds, time das grandes ligas nacionais, ele jogava contra a equipe do Montreal Expos. Steve precisou se encontrar com a equipe no Canadá, mas nunca saíra do país. O agente alfandegário lhe fez a pergunta padrão:

---

[29] INGRAM, Jason; LEONARD, David; JORDAN, Leslie. Great Are You, Lord, **Integrity's Alleluia! Music**, 2012.

— Por que o senhor está aqui, sr. Foster?

— Estou aqui para jogar contra o Montreal Expos — respondeu o meu amigo.

O agente não pareceu convencido, pois Steve estava sozinho. Sendo assim, perguntou:

— O que o senhor tem a declarar?

Se você já passou por uma alfândega, sabe que esse é um procedimento corriqueiro. Mas Steve não fazia ideia do que o homem queria dizer. Por isso, perguntou:

— Como?

— O que o senhor tem a declarar? — o agente repetiu. Ao que Steve respondeu:

— Que tenho orgulho de ser norte-americano?

Resposta errada! Com isso o algemaram e levaram para submetê-lo a interrogatório, atrasando-o para seu primeiro jogo da liga principal!

Posso fazer algumas declarações?

Você não é os erros que cometeu. Não é os rótulos que foram afixados em você. E não é as mentiras que o Inimigo tem tentado vender a você.

Você é quem Deus diz que é.

Um filho de Deus.

A menina dos olhos de Deus.

Aquele a quem Deus busca.

Mais que vencedor.

Nova criação em Cristo.

A justiça de Cristo.

Mais uma coisa. Você pode todas as coisas por meio de Cristo, que o fortalece.[30]

---

[30] V. João 1.12; Salmos 17.8; Lucas 19.10; Romanos 8.37; 2Coríntios 5.17; Filipenses 3.8,9; 4.13.

Todos os seus problemas de identidade são mal-entendidos fundamentais de quem é Deus.

Problemas de culpa são o entendimento errado da graça de Deus.

Problemas de controle são o entendimento errado da soberania de Deus.

Problemas de raiva são o entendimento errado da misericórdia de Deus.

Problemas de orgulho são o entendimento errado da grandiosidade de Deus.

Problemas de confiança são o entendimento errado da bondade de Deus.

Se você luta com qualquer uma dessas questões, está na hora de deixar Deus falar mais alto na sua vida!

Epílogo

O teste do sussurro

> [...] Deus é amor [...].
> — 1João 4.16 — 2 parte

Em 1º de novembro de 1937, uma doação de 60 mil dólares deu origem a um estudo na Universidade de Harvard que oitenta anos depois continua ativo. Foram selecionados 268 segundanistas para esse estudo, entre os quais um rapaz de 20 anos chamado John F. Kennedy. Os participantes são examinados por médico, testados por psicólogo e entrevistados pessoalmente a cada dois anos desde o início do estudo, produzindo dossiês tão volumosos quanto dicionários. Esses dossiês são guardados em um conjunto de escritórios atrás do parque Fenway em Boston. Na condição de mais longo estudo sobre o desenvolvimento humano da História, trata-se do santo graal para pesquisadores da área.

Durante quase quatro décadas, o dr. George Vaillant foi o guardião do graal. Em seu livro *Triumphs of Experience* [Os triunfos da experiência], abre o jogo e revela alguns segredos. Por exemplo, o maior indicativo de felicidade na fase mais tardia da vida são os "relacionamentos afetuosos" na infância.[1] Quem desfrutou de

---

[1] VAILLANT, George. **Triumphs of Experience:** The Men of the Harvard Grant Study. Cambridge, MA: Belknap Press of Harvard University Press, 2012. p. 43.

relacionamentos ternos quando criança, também recebeu, em média, 141 mil dólares a mais por ano do que aqueles aos quais faltou afeição nessa fase da vida.[2] Mas vou logo ao ponto.

É o resumo que Vaillant faz do estudo, em cinco palavras apenas, que considero mais impressionante. Ele reduz o estudo de oitenta anos e 20 milhões de dólares às seguintes palavras: "Felicidade é amor. Ponto final".[3] Ou seja, na verdade, são só três palavras! Na expressão de Vaillant, "Felicidade é só a carroça; o amor é o cavalo".[4]

Guarde essa ideia.

A Bíblia é um livro grande — 66 livros, na verdade. E, como já observei, foi escrita ao longo de um período de 15 séculos. Ou seja, é um estudo sem paralelo sobre o desenvolvimento ao longo do tempo, com *insights* incomparáveis sobre a natureza humana e de Deus. E, embora eu não queira simplificar demais um livro tão grande, acredito que possa resumir o enredo das Escrituras em cinco palavras: *Deus é amor. Ponto final.*

Deus é amor.
Ponto final.

A verdade mais verdadeira

Há mais de 400 nomes para Deus nas Escrituras. Ele é Maravilhoso Conselheiro, Deus Poderoso e Príncipe da Paz. É Pai, Filho e Espírito Santo. É o caminho, a verdade e a vida.[5] É tudo isso e muito mais do que a mente humana é capaz de compreender. Mas, se você me perguntasse o que acredito ser o fato mais verdadeiro acerca de Deus, eu responderia com as três palavras que

---

[2] Ibid., p. 42.
[3] Ibid., p. 52.
[4] Ibid., p. 50.
[5] V. Isaías 9.6; Mateus 28.19; João 14.6.

o apóstolo João usou para sintetizar o Todo-poderoso: "[...] Deus é amor [...]" (1João 4.16).

Sim, Deus é poderoso. Sim, ele é bom. Sim, ele é luz. Mas, acima de tudo, é amor. Eis a verdade mais verdadeira.

O mais perto que consigo chegar da explicação para o amor do Pai celestial por nós é comparando-o ao amor que tenho por meus três filhos. Há um pequeno ditado que sussurro no ouvido da minha filha desde que ela era menininha:

— Se todas as meninas do mundo fossem enfileiradas e eu pudesse escolher só uma para ser a minha filha, escolheria você.

Summer é perfeita? Quase tanto quanto o pai. Mesmo em seu pior dia, no entanto, eu poria minha mão no fogo por ela. Por quê? Porque sou seu pai, e ela é a minha filha. O mesmo vale para os meus dois filhos. É assim que me sinto como pai terreno com um amor finito, mas a comparação nem é justa porque o Pai celestial nos ama infinitamente. Uma diferença categórica!

> Deus não nos ama por quem somos. Deus nos ama por quem ele é.

No capítulo sobre a linguagem das pessoas, prescrevi o eneagrama como modo de passar a conhecer um pouco melhor o nosso tipo de personalidade. Para que fique bem claro, sou do tipo 3, Realizador. Todo número do eneagrama tem um lado positivo e um lado negativo. O meu lado negativo é que tenho dificuldade para compreender que o amor de Deus não é determinado pelo meu desempenho. Claro, fosse esse o caso, quem ocuparia o centro do palco seria eu, certo?

Deus não nos ama por quem somos. Deus nos ama por quem ele é.

Quando somos bem-sucedidos, ele diz: "Eu o amo".

Quando fracassamos, diz: "Eu o amo".
Quando temos fé, diz: "Eu o amo".
Quando duvidamos, diz: "Eu o amo".

O amor é sua resposta para tudo. Por quê? Porque ele *é* amor. Não há nada que você possa fazer que o obrigue a amar você mais ou menos. Deus o ama com perfeição. Eternamente.

A. W. Tozer disse: "O que nos vem à mente quando pensamos em Deus é o que há de mais importante a nosso respeito".[6] Se o amor não for a primeira coisa que nos vem à mente, temos a impressão errada de quem é Deus. Ouça com mais atenção. Claro, o amor de Deus abrange o amor severo do pai. E podemos não gostar de ouvir "palavras duras" às vezes. Mas Deus sempre tem no coração os nossos melhores interesses.

Lembra-se da conferência no Reino Unido em que falei logo depois de Justin Welby, arcebispo de Cantuária? Quando ele terminou, perguntaram a Welby o que ele acreditava ser o maior desafio que enfrentamos como seguidores de Cristo. Sem um segundo de hesitação, o arcebispo respondeu: "Nenhum cristão que conheço [...] consegue acreditar muito bem que é amado por Deus".[7]

Acredite você ou não, Deus o ama.
Ele gosta de verdade de você.
De fato, tem particular afeição por você.
E por isso sussurra.

---

[6] Tozer, A. W. **The Knowledge of the Holy**. New York: HarperOne, 1961. p. 1.
[7] Welby, Justin. "The Only Certainty in the World Is Jesus Christ" — Archbishop Speaks at New Wine Conference, **Archbishop of Canterbury**, March 7, 2016. Disponível em: <https://www.archbishopofcanterbury.org/speaking-and-writing/speeches/only-certainty-world-jesus-christ-archbishop-speaks-new-wine>. Acesso em: 14 mar. 2018, 19:37:31.

Por que me esforço tanto para o convencer desse fato? Porque temos muita dificuldade para lhe dar crédito. Parte do problema é que Deus tem sido representado por muita gente de modos que deturpam quem ele de fato é. Para quem já se viu do lado errado dessa situação, sinto muito. Por favor, ouça-me: essas sete linguagens são linguagens do *amor*!

Deus quer que escutemos o que ele está dizendo, e precisamos prestar atenção em sua voz. Muito mais que isso, no entanto, ele deseja que escutemos seu coração. Por isso, sussurra cada vez mais baixo, a fim de que tenhamos de chegar cada vez mais perto. E, quando enfim nos aproximamos o bastante, envolve-nos em seus braços e diz que nos ama.

Sete palavras

Mary Ann Bird nasceu no Brooklyn, Nova York, em agosto de 1928. Uma grave fissura palatina exigiu que se submetesse a 17 cirurgias, mas a dor psicológica resultante foi bem pior. Mary Ann não conseguia fazer coisas simples como soprar um balão ou tomar água de bebedouro. Pior que tudo, seus colegas de classe caçoavam dela impiedosamente.[8]

Mary Ann também era surda de um ouvido, de modo que o dia do teste anual de audição era o de que menos gostava. Mas foi um desses dias menos agradáveis que se transformou no dia determinante de sua vida. O teste de sussurro não é mais aplicado nas escolas; então, me deixe explicar em que consistia.

---

[8] Essa história tem sido citada e reproduzida com erros, mas acredito ser verdadeira com base em uma confirmação por *e-mail* recebida da filha de Bird. Você encontra essas mensagens de *e-mail* em: On Compassion: The Whisper Test, **Leader Helps**, February 6, 2017. Disponível em: <http://leaderhelps.com/2017/02/06/on-compassion-the-whisper-test/>. Acesso em: 14 mar. 2018, 20:17:33.

A professora chamava cada criança até sua mesa e lhe pedia para tapar um ouvido. Em seguida, sussurrava alguma coisa como "O céu é azul" ou "Você está de sapatos novos". Se o aluno ou a aluna repetisse a frase com sucesso, ele ou ela passara no teste.

Para evitar a humilhação de fracassar, Mary Ann tentava trapacear deixando a mão em concha sobre o ouvido bom, de modo que ainda conseguisse escutar o que a professora dizia. Mas não precisou disso no ano em que a professora foi a srta. Leonard, a mais amada da escola.

"Eu esperava por aquelas palavras", disse Mary Ann, "que Deus deve ter posto em sua boca, as sete palavras que mudaram a minha vida".[9] A srta. Leonard não escolheu uma frase qualquer. Antes, inclinou-se por cima da mesa, chegou o mais perto que pôde do ouvido bom de Mary Ann e sussurrou: "Gostaria que você fosse a minha filhinha".[10]

O Pai celestial sussurra essas mesmas palavras para você neste exato instante.

Ele as tem sussurrado desde antes de você nascer.

A marca

Em 1973, um biólogo austríaco chamado Konrad Lorenz ganhou o Prêmio Nobel por seu estudo dos gansos. Nos primeiros dias de vida, os gansinhos passam por um fenômeno chamado impressão. Nesse processo, é impressa no cérebro a marca de quem devem seguir. Caso não se estabeleça um vínculo, o gansinho não saberá a quem seguir. Pior ainda, a impressão irregular pode fazer que siga a voz errada.

Não muito diferente dos gansinhos, os bebês são marcados pela voz da mãe. O ouvido interno é o primeiro sistema sensorial

---

[9] Ibid.
[10] Ibid.

Epílogo: O teste do sussurro

a se desenvolver, tornando-se plenamente funcional por volta do quinto mês no útero. Mais ou menos no sétimo mês, o bebê reconhece a voz da mãe e a ela responde com movimentos musculares específicos. Por incrível que pareça, não existe nenhum atraso entre a entrada do dado sensorial da voz da mãe e a resposta motora do bebê. A neuroimagiologia também tem demonstrado que a voz materna exerce influência única, sobre e acima da voz de um estranho, ativando os circuitos cerebrais de recompensa, bem como as amígdalas, que regulam a emoção.[11] Ou seja, a impressão da voz da mãe deixa uma digital neural que se imprime no cérebro do seu bebê.

> Foi a voz de Deus que começou uma boa obra em sua vida, e é a voz de Deus que a completará.

Fiz uma declaração arrojada no início deste livro: o que percebemos como problemas relacionais, ou emocionais, ou espirituais são, na verdade, problemas de audição. Trata-se de impressão irregular. Ensurdecidos pelas vozes da conformidade, da crítica e da condenação, sofremos os efeitos colaterais entre os quais se incluem a solidão, a vergonha e a ansiedade.

A boa notícia? Deus imprimiu uma marca em você. Você não só leva em você a imagem divina, como também lhe conhece a voz. Foi a voz de Deus que o teceu no ventre da sua mãe. Foi a voz de Deus que determinou todos os seus dias antes de qualquer deles existir. Foi a voz de Deus que começou uma boa obra, e é a voz de Deus que a completará.[12]

---

[11] How a Mother's Voice Shapes Her Baby's Developing Brain, **Aeon**. Disponível em: <https://aeon.co/ideas/how-a-mother-s-voice-shapes-her-baby-s--developing-brain>. Acesso em: 14 mar. 2018, 20:54:17.

[12] V. Salmos 139.13,16; Filipenses 1.6.

Quer você a reconheça, quer não, Deus foi a primeira voz na sua vida.
É dele a voz que fala mais alto em sua vida?
Eis a questão.
A resposta determinará o seu destino!